# Madog

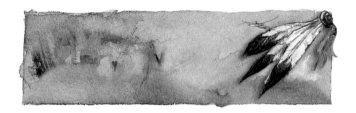

Argraffiad cyntaf: 2005

Lluniau: Margaret Jones
Dylunio: Olwen Fowler
Cyhoeddwyd gyda chymorth ariannol Cyngor Llyfrau Cymru

ISBN: 0 86243 760 1

Argraffwyd a chyhoeddwyd yng Nghymru gan:
Y Lolfa Cyf., Talybont, Ceredigion SY24 5AP
*ffôn* +44 (0)1970 832 304
*ffacs* 832 782
*e-bost* ylolfa@ylolfa.com
*gwefan* www.ylolfa.com

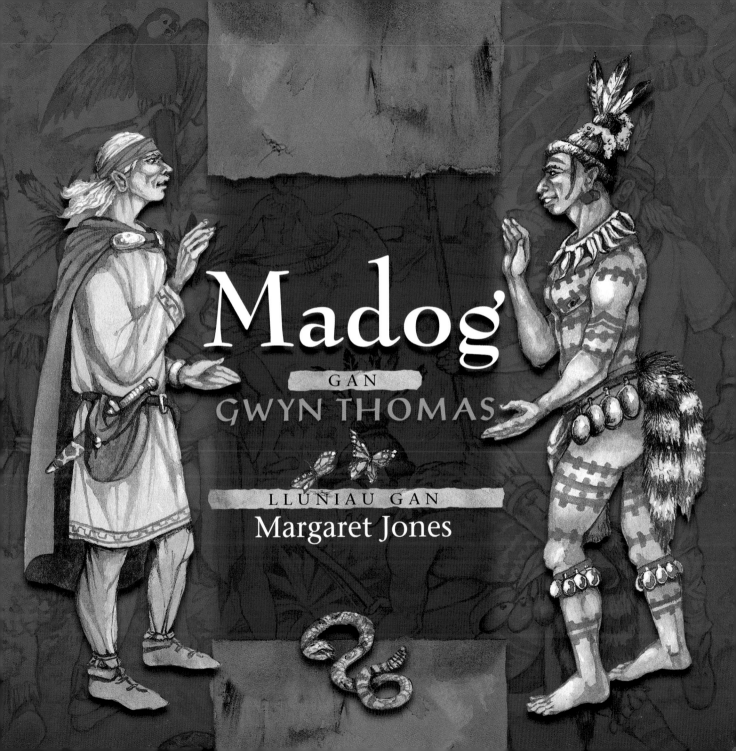

# Madog

GAN

GWYN THOMAS

LLUNIAU GAN

Margaret Jones

# Cynnwys

# 1

# Dros Erchwyn y Byd

**R**oedd Hychdwn Hir wrthi'n gwarchod moch ei feistr Cadwgan Benfras ar Fynydd Caergybi un diwrnod, dros wyth gan mlynedd yn ôl. Doedd cadw golwg ar y moch ddim yn waith caled iawn, os nad oedden nhw'n crwydro, neu os nad oedd hi'n ddiwrnod oer neu wlyb. Ar wynt, roedd y moch yn gallu gwneud pethau rhyfedd iawn, a'r rheswm am hynny oedd fod moch – fel y gwyddai pawb yr adeg honno – yn gallu gweld y gwynt. Y diwrnod arbennig hwn o Fai cynnar, roedd yna haul cynnes yn pelydru i lawr ar Fynydd Caergybi, ac roedd hi mor dawel fel y gallai Hychdwn glywed pryfed yn suo o'i gwmpas. Rhwng y tawelwch a'r suo roedd Hychdwn yn dechrau pendwmpian.

Ond yn sydyn dyma un o'r moch yn dechrau rhochian ac, yn y man, dyma eraill yn ymuno ag o ac yn dechrau gwichian hefyd. Cododd Hychdwn a sylwi fod y moch i gyd yn edrych allan i'r môr. 'Arwydd gwynt,' meddai Hychdwn wrtho'i hun. Edrychodd allan i'r cyfeiriad yr oedd y moch yn syllu. Roedd rhywbeth yno, ymhell allan. Dechreuodd yr awel godi, ac wrth iddi gryfhau gwelai Hychdwn mai llongau efo rhyw lun o hwyliau oedd ar y môr.

Dechreuodd yntau hel y moch at ei gilydd a'u gyrru o'i flaen yn genfaint ddigon anodd eu trin. Roedd o'n lwcus ei fod o wedi hen arfer efo'u triciau nhw ac yn gallu dyfalu beth oedd yn mynd i ddigwydd. Cadw'r baedd mwyaf i ddal i fynd i lawr am Gaergybi oedd y peth callaf i'w wneud, oblegid fe wyddai Hychdwn y byddai'r gweddill o'r moch yn siŵr o'i ddilyn o, yn hwyr neu hwyrach.

Wedi cyrraedd tir gwastad dyma Hychdwn yn hel y genfaint i gysgod craig, eu gadael yno, a'i heglu hi am y lle yr oedd yna nifer o dai o goed a thywyrch. Wrth iddo nesu atyn nhw dyma fo'n dechrau gweiddi, 'Llongau! Llongau!' Gynted ag y clywodd y bobol oedd o gwmpas y waedd hon dyma'r dynion yn bachu crymanau a phicweirch ac yn ei gwneud hi am lan y môr – roedden nhw'n gwybod o'r gorau beth a allai ddigwydd pe bai Gwyddelod egr neu fôr-ladron yn dod heibio.

Yn y man daeth y llongau i'r golwg o gwmpas trwyn y graig a redai i lawr i'r dŵr.

Roedd yna dair ohonyn nhw. Arafodd y tair ryw fymryn ar ôl dod o amgylch y graig ac i rywfaint o gysgod gwynt. Safodd rhywun ar flaen un y llong gyntaf a chodi tarian, gan ddal ei phig hi, neu ei swch, ar i lawr.

'Diolch byth,' meddai Hychdwn gan droi at y dyn nesaf ato.

'Arwydd heddwch,' meddai hwnnw.

Ac aeth y dynion i gyd i lawr at lan y dŵr.

'Mi daflwn ni raffau,' gwaeddodd y dyn oedd ar flaen y llong gyntaf.

'Cymry ydyn nhw,' meddai rhywun.

'Ein llongau ni ydyn nhw,' meddai Hychdwn, 'llongau llys Berffro.'

A dyma dri neu bedwar o'r dynion i'r dŵr a thynnu ar y rhaffau. Neidiodd rhai o'r morwyr o fyrddau'r llongau hefyd i'r dŵr a helpu i dynnu fel bod trwyn pob llong wedi ei dynnu'n ddigon pell i fyny'r traeth i'w dal nhw yno.

'Diolch am eich cymorth, hogiau,' meddai'r dyn oedd wedi codi'r darian, a oedd wedi cyrraedd y lan erbyn hyn, er ei fod o braidd yn ansad ar ei draed.

'Cadfan ydi o,' meddai un o'r gwŷr ar y lan.

'Cywir, gyfaill,' meddai yntau.

'Ond pan ddaru chi hwylio roedd yna saith o longau,' meddai'r gŵr wrtho.

'Oedd,' meddai yntau, 'ond mi syrthiodd pedair o'n llongau ni dros erchwyn y byd.'

# 2
# Llys Owain Gwynedd

Erbyn hyn roedd Cadfan a'i longwyr wedi cyrraedd llys y tywysog Owain Gwynedd yn Aberffraw ('Berffro' i bobol Sir Fôn). Roedden nhw wedi cael amser i ymolchi a newid eu dillad – a oedd mor fudur fel eu bod nhw bron iawn yn aros ar eu sefyll ohonynt eu hunain. Roedd hi'n wledd yn y llys. Roedd yna fwrdd ar lwyfan yn un pen i'r neuadd, ac wrth hwnnw yr eisteddai'r tywysog a'i deulu a swyddogion pwysig y llys, gan edrych i lawr y neuadd lle'r eisteddai pawb arall wrth fyrddau yn ôl graddau eu pwysigrwydd. Roedd brwyn gleision a glân ar y llawr, ond yr oedd yn rhaid i weision y llys gadw golwg ar y ddau fytheiad oedd yno – rhag ofn iddyn nhw ymddwyn mewn ffordd werinol nad oedd yn deilwng o gŵn unrhyw dywysog.

Ar ôl bwyd dyma'r bardd, Cynddelw Brydydd Mawr, yn codi ac yn canu cerdd i Owain Gwynedd.

'Be mae o'n ei ddweud?' gofynnodd Cadfan i un o'r gwŷr llys.

'Canu mawl y tywysog,' atebodd hwnnw. 'Dweud ei fod o'n gwffiwr da.'

Fel morwr, yr unig bethau y daliodd Cadfan arnyn nhw yn y perfformiad oedd 'angor' a rhywbeth am 'lynges'. Ond fe gurodd o ei ddwylo a gweiddi 'Hwrê' cystal ag unrhyw un yn y llys ar ôl i'r bardd orffen, a chael anrheg gan y tywysog.

Ar ôl i ddistain y llys – gwas pwysig iawn – beri i bawb dawelu drwy alw 'Gosteg', cododd y tywysog Owain Gwynedd ar ei draed. Roedd o'n ŵr tal, pryd golau, a chanddo hen graith ar ei dalcen.

'Heno,' meddai, 'yn lle ein bod ni'n cael stori, fe wrandawn ni ar hanes Cadfan a'i forwyr, a sut y daru nhw lwyddo i golli pedair o'n llongau ni.'

Ymlwybrodd Cadfan, gan siglo ei gorff solat o'r naill ochor i'r llall, i flaen y neuadd. Roedd yn rhaid i'w stori fod yn un go dda, achos doedd y tywysog ddim yn swnio'n rhyw or-blês efo canlyniad yr antur. Er mai noson o haf oedd hi, roedd hi'n lled dywyll erbyn hyn a golau'r tân a'r ffaglau'n llewyrchu'n gryfach, gryfach fel yr oedd hi'n mynd yn dywyllach. Gwelai Cadfan wynebau gloyw a choch ei gynulleidfa o'i flaen.

'F'arglwydd,' meddai gan foesymgrymu i gyfeiriad Owain Gwynedd. 'Diolch am eich croeso. Aeth llawer o amser heibio er pan ddaru ni gychwyn ar ein taith ar y môr mawr. Fel hyn y bu hi. Ar ôl inni adael Caergybi roedd yna wynt teg o'n plaid ni ac fe bar'odd hwnnw am dridiau nes bod Iwerddon yn y golwg. Roeddem ni'n nesu at y tir pan ddaeth yna lynges o… ddeg neu fwy o longau i'n cyfarfod ni. A phan oedden nhw'n ddigon agos mi ddaru rhai o'r morwyr ar y llongau blaen ddechrau saethu atom ni efo'u bwâu – wn i ddim pam, achos rydym ni wedi cael croeso yn Iwerddon fwy nag unwaith. Gan fod ganddyn nhw fwy o longau na ni, fe benderfynson ni mai'r peth calla i'w wneud oedd ceisio troi allan am y môr agored eto. Dyna pryd y daru ni fynd i ffrwd gref yn y môr oedd yn llifo i gyfeiriad de'r ynys. A, chyda chyflymder na welais i ei fath, roeddem ni wedi mynd heibio gwaelod Iwerddon ac yn cael ein tynnu am y môr y tu hwnt i fan'no. Mi gododd yn storm enbyd, ac mi gawsom ein sgubo allan ymhell bell y tu hwnt i Iwerddon nes nad oedd dim golwg o lan yn unman. Roeddem ni'n ffodus fod gennym ni ddigon o fwyd a diod allan ar y cefnfor yn fan'no wrth inni geisio'n gorau glas i fanteisio ar unrhyw wyntoedd a allai ein cario ni'n ôl y ffordd y daethom ni.

'Roedd yna bedair o'n llongau ni wedi cael eu cario gryn bellter oddi wrth y tair arall. A dyna pryd y dechreuodd yr helynt o ddifri. Mi ddaru ni ddechrau clywed rhyw ruo – distaw i ddechrau, ond yna'n cynyddu, cynyddu. Ac mi ddaru ni sylwi fod ein llongau ni i gyd yn cael eu tynnu i gyfeiriad y sŵn, a'r pedair llong yn mynd yn llawer cynt na ni, oedd yn y tair arall. Roedd y sŵn yn mynd yn uwch ac yn uwch. Ac mi ddaru ni sylweddoli mai sŵn dŵr oedd o, fel sŵn rhaeadr, ond na fu yna'r un rhaeadr mor enfawr. Y peth nesa welsom ni oedd fod y pedair llong yn mynd yn gyflymach, gyflymach. Yn cael eu tynnu gan y llif i gyfeiriad y sŵn. Ac yna… yna… mi ddigwyddodd y peth mwyaf ofnadwy a welodd neb ohonom ni erioed: mi ddiflannodd pedair o'n llongau ni dros ochor y rhaeadr yma. Roeddem ni i gyd wedi dychryn na fuo'r fath beth, a dyma ni i gyd yn dechrau rhwyfo fel pethau o'u cof. Ond rhyw ddal yn ein hunfan yr oeddem ni gan fod tynfa'r llif mor gryf. Mi ddaru rhai o'r criw ddechrau gweddïo, a rhai ddechrau gweiddi, a dyma finnau'n gweiddi hefyd, 'Tynnwch, tynnwch, neu mi fydd hi ar ben arnom ni.'

'Mi ddyblodd pawb eu hymdrechion, ac fel roeddem ni yno'n rhwyfo fel lladd nadroedd mi gododd y gwynt a'n gwthio ni draw, draw fesul tipyn oddi wrth y rhaeadr, gan ein cario ni'n gyflymach, gyflymach oddi wrthi fel yr oeddem ni'n pellhau.

'Roedd Duw a'r saint wedi gwrando ar ein gweddïau annheilwng ni. Roedd ein gofidiau ni ar ben, a phan ddaethom ni i olwg Iwerddon, roeddem ni'n teimlo fel petaem ni wedi cyrraedd adre. Gan fod ein bwyd a'n dŵr ni'n prinhau fe fu'n rhaid inni lanio yn Iwerddon – yr ochor bella o fan'ma. Yn fan'no mi gawsom groeso na fu'r ffasiwn beth, yn enwedig pan ddwedson ni wrthyn nhw am Raeadr y Diffwys Mawr – a Gafran yma ,' cyfeiriodd at ŵr gwallt coch, 'yn cyfieithu ar ein rhan ni i gyd. Roedden hwythau'n gwybod am y rhaeadr ar erchwyn y byd – rhai ohonyn nhw wedi bod yn agos at y lle, ond neb ohonyn nhw wedi ei gweld hi fel y gwnaethom ni. Mi gawsom ni lond ein boliau o fwyd a diod, a digon o stôr ar gyfer y daith adref. Wrth ryw lwc, 'chawsom ni ddim trafferth efo Gwyddelod y dwyrain ar ein ffordd yn ôl. Dyna sut y bu hi arnom ni.'

Fe allech chi fod wedi clywed chwannen yn neidio (ac roedd digon o'r rheini yno, rhwng y cŵn a rhai o'r gwŷr llys) tra oedd Cadfan yn adrodd ei hanes. Ond roedd Owain Gwynedd yn dal i syllu ar Gadfan, a gwneud iddo deimlo'n ddigon annifyr. Ar hyn dyma Crafanc, gŵr hysbys neu ddewin y llys, yn codi i ddweud gair. Roedd Crafanc yn enw da arno achos yr oedd o'n fain a llym gyda bysedd hirion, a'i wallt gwyn yn gryf fel gwifrau ac yn wyllt fel storm. Ond er mai fel Crafanc y byddai'n cael ei alw yn ei wyneb gan bawb, fel 'Idi Shi' yr oedd o'n cael ei adnabod yn ei gefn. Mewn llais mawr, cras dywedodd, 'Rydym ni, f'arglwydd, rydym ni, wŷr hysbys – fel rhai y mae ganddyn nhw alluoedd y tu hwnt i ddynion meidrol – yn gwybod am y pethau hyn, rhyfeddodau mawr y cread. Ddwedis i (a ynganai o fel 'idi shi') am hyn o'r blaen. Ddwedis i fel y dwedodd Taliesin, ein gwron mawr ni, wŷr hysbys:

'Mi a fûm yno.
Bûm yn llyfr gyda'r gorau,
Bûm yn llusern yn olau,
Am flwyddyn o'r dechrau;
Bûm yn eryr ar fynyddoedd,
Bûm yn bont ar aberoedd
Bûm yn gwch bach mewn moroedd…''

'Ie, ie,' torrodd Owain Gwynedd ar ei draws, 'rydym ni wedi clywed hyn'na ddigonedd o weithiau. Be am erchwyn y byd?'

'Roedd Taliesin wedi bod yno. Dyfroedd sydd yno, dyfroedd diderfyn yn disgyn dros ymyl y byd i lawr, i lawr, i lawr i Annwn, y Byd Arall. Ac nid wrth y rhaeadr yn unig y bu Taliesin; mi aeth i lawr, i lawr, i lawr, i Annwn. A dyna chi le sydd yn fan'no. Lle o weiddi ac wylo, o grafu a chwyno ynghanol seirff a phryfed a fflamau...'

Yma, dyma'r offeiriad llys, Beuno, stwcyn tew efo corun moel, yn torri ar draws Crafanc, 'Nid y chdi, ond y fi ydi'r awdurdod ar fan'no. Ni, offeiriaid, sy'n gwybod be ydi be am bethau o'r fath. A fu dy Daliesin di ddim yn agos at y lle...'

'Do mi fuo'. Mae o wedi dweud. Rydym ni wedi dysgu ei eiriau fo...'

Ar hyn dyma Madog, a oedd, yn ôl rhai, yn fab i Owain Gwynedd – er nad oedd o ddim, efallai – yn codi ar ei draed. Roedd o'n ŵr ifanc ugain oed, yn dal ac yn gryf, yn felyn ei wallt, yn olau ei groen a glas ei lygaid: yn wir, roedd golwg Sgandinafaidd braidd arno. 'Lol botas,' meddai. 'Tasech chi'n gofyn i mi does yna ddim rhaeadr, does yna ddim erchwyn i'r byd. Mewn gwirionedd, rydw i'n credu fod y byd yn grwn. Rydw i wedi hwylio y tu hwnt i Iwerddon fwy nag unwaith a welais i ddim rhaeadr na dyfnjwn nac erchwyn y byd...'

'Be!' gwaeddodd Crafanc a Beuno a gweddill y llys i gyd efo'i gilydd, 'Crwn!' A dechreuodd pawb chwerthin a gweiddi. A chlywyd geiriau fel, 'Lembo,' 'Jolpyn,' a 'Rwdlyn gwirion,' yn glir ynghanol y gweiddi hwnnw.

'Maddeuwch i mi, f'arglwydd,' meddai Crafanc, 'ond ddwedis i wrthych chi fwy nag unwaith am yr hogyn yma, bod eisio cadw golwg arno fo. Ddwedis i y tro hwnnw pan ddaeth o i'r llys yma – rydw i'n cofio'n glir – a dweud fod ei gyfaill, yr Eric yna o wledydd

oerion y gogledd, wedi rhoi tamaid o haearn iddo fo ar gortyn, haearn oedd bob amser yn troi i ddangos lle'r oedd seren y gogledd. Fel 'tasai lwmp haearn yn medru meddwl; fel 'tasai lwmp o haearn yn gallu gweld! Ddwedis i, on'd o, y buasai'n talu dysgu dipyn o'n gwyddoniaeth elfennol ni i'r hogyn yma. Byd crwn wir!'

'Yma, f'arglwydd,' meddai Beuno, 'y mae'n rhaid imi gytuno efo Idi... y dyn yma, Crafanc. Pa synnwyr fuasai yna mewn byd crwn? Sut y byddai pobol, ar eu pennau i lawr, ar waelod y byd crwn yma ddim yn disgyn i wagle? A phrun bynnag, hyd yn oed petai'r byd yn grwn, mi allai pobol a llongau ddisgyn dros yr ochor yr un mor hawdd.'

'Ddim os oes yna ryw dynfa ynghanol y byd yn cadw pawb a phopeth yn sownd,' meddai Madog. 'Fuasai yna neb yn disgyn i unlle wedyn.'

Unwaith eto cafwyd, 'Be!' gan Crafanc a Beuno a gweddill y llys efo'i gilydd. A chlywyd ambell ymadrodd fel, 'Ddim hanner call,' 'Modfeddi'n brin o lathen,' 'Hogyn iawn, dw'i ddim yn dweud, ond braidd yn wirion.'

'Gyda'ch caniatâd, f'arglwydd,' meddai Beuno, 'fe wna i gynnig hyfforddi'r hogyn yma yn y gwyddorau – mathemateg, seryddiaeth, ac ati i'w gadw fo ar y llwybrau iawn mewn bywyd.'

'Be wyddost ti am bethau felly!' chwyrnodd Crafanc. 'Ddwedis i o'r dechrau un am yr hogyn yma, fod eisio cadw golwg arno fo – fo a'i fyd crwn...'

'Efo tynfa yn ei ganol! Mae'r hogyn yma'n hollol fagnetig 'taech chi'n gofyn i mi,' meddai Beuno.

Dyma'r tro cyntaf i'r gair 'magnetig' gael ei ddefnyddio yn y Gymraeg, a phe baem ni'n chwilio am air i gyfleu ei ystyr gyntaf o, 'boncyrs' fyddai hwnnw – gair a ddyfeisiwyd dipyn bach yn ddiweddarach.

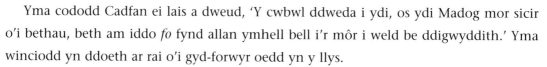

Yma cododd Cadfan ei lais a dweud, 'Y cwbwl ddweda i ydi, os ydi Madog mor sicir o'i bethau, beth am iddo *fo* fynd allan ymhell bell i'r môr i weld be ddigwyddith.' Yma winciodd yn ddoeth ar rai o'i gyd-forwyr oedd yn y llys.

'Syniad da,' gwaeddodd ei gyd-forwyr a'r holl hen begoriaid oedd yno.

'O'r gorau,' meddai Madog, 'os ca i longau, mi a' i. Mi wna i ddewis fy nynion fy hun.'

'Wel,' meddai Owain Gwynedd, a oedd yn hoff iawn o Madog. 'Mi all hyn fod yn beryg iawn.'

'Ddim peryclach nag ymladd Saeson,' meddai Madog.

'A drud,' meddai Owain.

'Mi wnawn ni helpu i dalu,' meddai gwŷr y llys – am y tro cyntaf erioed o fewn cof neb.

'Os felly,' meddai'r tywysog, 'os felly...' Oedodd i ystyried am dipyn. 'Os felly, mi ro i 'nghaniatâd iti fynd.'

'Mi gaiff y penci yna weld be ydi be,' meddai Cadfan dan ei wynt. Roedd o'n teimlo'n wirioneddol gas am fod yr hyn a ddywedodd Madog yn ei wneud o yn gelwyddog. Gwenodd yn filain ar Madog a dweud, yn arwyddocaol, 'Hwyl fawr!'

# 3
# Wele'n Cychwyn Dair

Feicing oedd Eric. Ddwy flynedd cyn hyn roedd o wedi hwylio ar ei ben ei hun i lawr o Ynys yr Iâ ac wedi glanio ar Ynys Môn. Cafodd ei ddal gan Madog a dau o'i ffrindiau, ond ddaru nhw mo'i ladd o. Yn wir, doedd o ddim yn annhebyg i Madog o ran pryd a gwedd, ond fod ei wallt o'n fwy cochlyd. Mi gymerodd Madog ato fo, a daeth o ac Eric yn gyfeillion pennaf – er gwaethaf gwg a cherydd Crafanc.

'Dyma'n cyfle ni,' meddai Madog wrth Eric, y diwrnod ar ôl cyfarfod y llys. 'Mi allwn ni roi prawf ar yr hyn rydym ni wedi bod yn sôn amdano fo – mynd i weld y byd, mynd i lefydd na fuo neb arall yno o'r blaen.'

'Gei di ganiatâd i wneud dy longau dy hun?'

'Wedi cael caniatâd,' meddai Madog. 'A gwŷr y llys wedi cytuno i dalu amdanyn nhw.'

'Talu amdanyn nhw! Oedden nhw wedi meddwi?' gofynnodd Eric.

'Sicir o'u pethau ydyn nhw yntê,' meddai Madog. 'Maen nhw'n disgwyl ein gweld ni'n disgyn dros ochor y byd, neu'n dod yn ôl mewn cywilydd.'

'Rhaid inni ddangos iddyn nhw be ydi be felly,' meddai Eric.

'Ac i wneud hynny mae'n rhaid inni ddechrau trwy wneud llongau,' meddai Madog, gan ychwanegu, 'Rŵan te, dyma ein cyfle ni i wneud llongau fel rwyt ti wedi bod yn sôn amdanyn nhw.'

'Ble mae'r coed derw gorau? A ble mae dy seiri di?' gofynnodd Eric.

'Mi a' i ati i drefnu pethau,' meddai Madog.

Ymhen rhai dyddiau fe ddechreuodd coedwyr y tywysog dorri coed. Ar ôl eu gadael am gyfnod i sychu, dechreuwyd eu cario nhw i weithdai llys Aberffraw ar droliau a dynnid gan ychen. Roedd Eric, a Madog gydag o, yn goruchwylio'r gwaith. Cafwyd peth trafferth i ddod o hyd i goed derw digon tal ar gyfer y celbren, sef y pren solat a fyddai'n asgwrn cefn y llong. Roedd Eric yn gobeithio cael coed dros drigain metr o hyd er mwyn medru torri celbrennau solat ohonyn nhw. Fe lwyddwyd i ddod o hyd i un celbren oedd o gwmpas yr hyd hwnnw, a dau arall oedd fymryn yn llai. Roedd y celbren cryf yn cael ei lunio fel bod yna dro ar i fyny yn y pen blaen a rhywfaint llai ar y pen ôl. Roedd y ddau ben hyn wedi eu naddu fel eu bod nhw rywfaint yn gulach na hyd y pren – byddai hyn yn ei gwneud hi'n haws i'r llong dorri ei ffordd trwy'r dŵr. Yn ei ganol yr oedd y celbren ar ei braffaf, am mai yn ei chanol y byddai'r llong ar ei thrymaf. Bob rhyw fedr go dda gosodwyd ais, sef hanner cylchoedd o bren, o'r blaen i'r starn. Yn sownd yn y rheini roedd styllod corff y llong, rhai gweddol denau, yn cael eu gosod fel bod yr un uchaf bob tro yn cyrraedd beth ffordd dros yr un isaf, ar du allan y llong, i wneud yn siŵr fod y coed yn dal dŵr. Mwydwyd y tu allan i gorff y llong efo braster a phyg, eto er mwyn gwneud yn gwbwl sicir fod y cyfan yn dal dŵr. Roedd llyw y llong, wrth reswm, yn y tu ôl, yn y starn. Er mwyn cael at y bwyd a diod ac offer oedd yng ngwaelod y llong, roedd planciau gweddol hawdd i'w symud wedi eu gosod fel dec. Ar y naill ochr a'r llall i'r llong, gyferbyn â'i gilydd, roedd hafnau i rwyfau. Ynghanol y llong yr oedd mast hir oedd wedi ei roi yn ei le yn gadarn i ddal pwysau'r gwyntoedd. Arno yr oedd un hwyl y gellid ei chodi a'i thynnu i lawr yn ôl y galw. Pan fyddai'r hwyl wedi'i chodi roedd hi'n cael ei dal yn ei lle efo rhaffau oedd wedi eu clymu wrth ochrau'r llong ac yn ei phen blaen a'i phen ôl. Dros gorff y llong, ar wahân i'r starn a'r blaen, roedd yna gynfas y gellid ei chodi ar law a thywydd mawr, a'i thynnu i lawr ar dywydd sych. Er mwyn cael mwy o gysgod mewn tywydd mawr roedd gan bob morwr sach-gysgu wedi ei gwneud o groen buwch a gwlân. Gallai llong hir fel yma ddal bron i ugain tunnell o bwysau. Gwnaeth Madog i saer gorau'r llys wneud pen draig, ond nid un rhy fawr – rhag ofn i unrhyw rai y gallen nhw eu cyfarfod gamgymryd y pen fel arwydd o long ryfel – a'i osod o ar flaen un y brif long. *Gwennan Bendragon* oedd yr enw a roddodd Owain Gwynedd iddi hi. Adeiladwyd dwy long arall, ddim cymaint â'r brif long. Galwyd hwy yn *Eryn* a *Ffreuer*.

Diwrnod mawr oedd diwrnod symud y brif long o'r gweithdai i'r môr, ddechrau'r mis Mai canlynol. Roedd yno ychen a cheffylau a dynion cryfion, i gyd yn cyd-dynnu a chyd-wthio a chyd-duchan i gael y troliau i wegian ymlaen yn araf bach, bach dros y tir oedd wedi ei lyfnhau'n bwrpasol. Pan oedd y llanw ar ei uchaf mewn man lle'r oedd dyfnder dŵr yn agos at y lan dyma bawb yn gwneud un ymdrech fawr a dyma'r llong yn araf lithro i'r môr mawr, ac yn nofio'n urddasol yno. Ar ôl iddi gael ei rhwyfo allan i ddyfnder dŵr na fyddai'n mynd fawr llai pan oedd y môr wedi treio, dyma angori'r llong yno mewn lle cysgodol. Fe gariwyd cerrig gwastad o Benmon, rhai y gallai un dyn eu cario heb ormod o ymdrech i'w gosod fel balast i gadw'r llong rhag troi drosodd mewn stormydd. Ni allai hyd yn oed Gadfan beidio â'i hedmygu, ond fe ofalodd ddweud wrth Madog, 'Ond doedd ein llongau ni'n ddim byd tebyg i hyn.'

'Os am fynd ymhell, mae'n talu cael rhywbeth iawn i deithio ynddo fo – rhag ofn i rywun ei gael ei hun yn disgyn dros ymyl y byd, yntê!' meddai Madog.

'Hwyl fawr,' meddai Cadfan eto.

'Fuaswn i'n dweud fod yr hwyl yn rhy fach!' oedd sylw Crafanc. Cilwenodd yn oerllyd, a chwarddodd eraill – o ran syndod yn hytrach na dim arall. Hon oedd un o'r ychydig jôcs y cofiai neb i Grafanc erioed roi cynnig arni.

Ar ôl cwblhau'r ddwy long arall, dyma lusgo'r rheini hefyd o'r gweithdai i'r dŵr.

Yn y cyfamser roedd Madog ac Eric wedi bod wrthi'n dewis criw o forwyr profiadol, a rhai crefftwyr, yn ofaint a seiri, hefyd. Roedd angen cant a mwy i hwylio'r llongau.

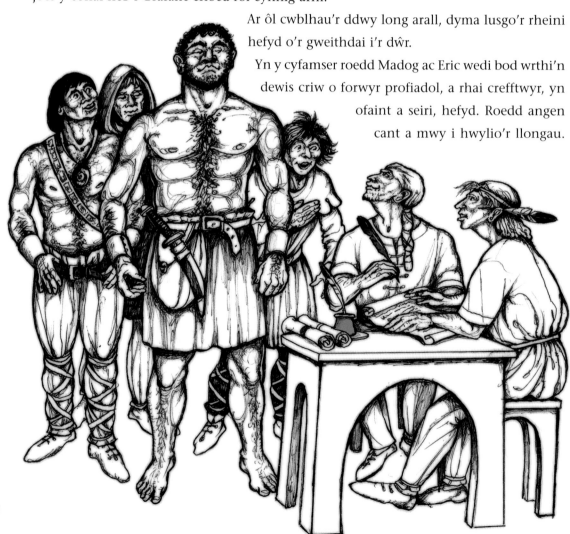

Bu'r ddau wrthi'n cribo Môn, glannau Arfon, a Llŷn am wŷr o galon a chanddyn nhw brofiad o'r môr. Ac, o un i un, llwyddwyd i wneud y rhif. Roedd rhai'n gwrthod ystyried mynd, am eu bod yn gwybod fod erchwyn y byd beth pellter y tu draw i Iwerddon. Byddai Madog ac Eric yn gyfrifol am y llong fwyaf, *Gwennan Bendragon*. Tudwal ac Ynyr fyddai'n gyfrifol am *Eryn*, ac Elidir a Chynon am *Ffreuer*. Roedd Tudwal yn gawr o ddyn, tywyll ei wallt a'i farf, ac roedd ei nerth yn ddihareb. Roedd Ynyr yn llai, ond roedd yntau, hefyd, yn dywyll a chydnerth. Gŵr ifanc tawel, meddylgar oedd Elidir, ond un cadarn a phenderfynol iawn. Roedd Cynon yn rhyfelwr oedd yn awyddus am antur anarferol; nid oedd neb tebyg iddo am drin cleddyf. Er mawr syndod i bawb daeth Anwawd, un o feirdd Owain Gwynedd, at Madog un dydd a dweud, 'F'arglwydd, dydi hi ddim yn iawn fod rhywun anrhydeddus fel ti yn mynd i unlle heb fardd i gadw cof am dy hynt a dy helynt, ac i gadw manylion am yr holl bethau a ddigwyddith i ti a dy forwyr. Mi elli di ofyn i mi ddod efo chi; ac os bydd y telerau'n iawn, wel, mi ddo' i efo chi. Rydw i'n hen gyfarwydd â chroesi'r Fenai ymhob tywydd.'

'Mi gei di dâl tebyg i brifardd yn y llys ac, os down ni o hyd i drysorau, mi gei di dy siâr o'r rheini,' meddai Madog wrtho.

'Tâl tebyg i brifardd yn y llys, a'm siâr o drysorau,' ailadroddodd Anwawd y telerau, 'Hm. Digon teg. Mi a' i i nôl fy nghadair.'

'Dim cadeiriau ar longau,' meddai Madog.

'Dim cadeiriau!'

'Dim lle,' esboniodd Madog. 'Ond mi gei di le i eistedd.'

'Teg iawn yn wir!' meddai Anwawd. 'Ond, cytuno – cyn belled â 'mod i'n cael dod â 'nhelyn.'

'Tyrd â dy delyn 'te,' meddai Madog.

Am fis neu well bu Madog a'i wŷr o gwmpas Ynys Môn a hyd arfordir Llŷn yn eu llongau i weld sut yr oedden nhw'n hwylio, gan fynd trwy swnt Enlli ar dywydd go arw i roi prawf dipyn bach yn galetach nag arfer arnyn nhw.

'Yng ngeiriau Crafanc,' meddai Eric, '"ddwedais i" y byddai popeth yn iawn on'd do.'

'Do,' meddai Madog. 'Ac y maen nhw.'

Ar ôl y profi hwn fe hwyliodd y tair llong i fyny'r Traeth Mawr, ddim ymhell o Ddolbenmaen, ac angori yno. Roedd Owain Gwynedd ar daith o gwmpas ei deyrnas ac yn y cyffiniau hynny roedd o'n digwydd bod. Felly, yno y dechreuwyd llwytho'r llongau efo cigoedd ffres, a rhai wedi eu halltu; llysiau, dŵr, cwrw, mêl; coed, haearn – rhag ofn y byddai'n rhaid i'r seiri a'r gofaint oedd yn mynd ar y daith orfod trwsio'r llongau; cynfasau – rhag ofn i'r hwyliau rwygo; bwcedi ar gyfer gwagio unrhyw ddŵr a ddeuai drosodd i'r llong o'r môr; ac arfau. Roedd Owain Gwynedd a rhai o wŷr ei lys yno i ffarwelio a dymuno'n dda i'r criw – ond doedd Cadfan ddim yno. Bendithiodd Beuno y daith a gofyn i Dduw ddod â phawb yn ôl yn ddiogel – a'u cadw rhag disgyn i uffern dros erchwyn y byd. Am fod Madog wedi hwylio o'r fan hon fe alwyd y lle yn Ynys Fadog.

# 4
# Ar Fôr Tymhestlog

Roedd hi'n llanw uchel ben bore bach, braf o Fehefin yn ail hanner y ddeuddegfed ganrif, pan rwyfodd morwyr Madog dair llong i lawr y dyfroedd oedd dros y Traeth Mawr gan dynnu am y môr agored. Unwaith yr oedden nhw yno, dyma roi'r gorau i rwyfo a chodi'r hwyliau gan fanteisio ar y gwynt a oedd gryn dipyn yn gryfach ar y môr nag oedd o ar y tir. Hwyliai'r tair llong gan wahanu'r dŵr â'u trwynau nes ei fod o'n llifo heibio'n las llyfn. Daliodd y llongau i dorri trwy'r môr, a oedd yn syndod o lonydd, trwy'r dydd a thrwy'r nos – a oedd yn glir a serog, fel bod seren y gogledd i'w gweld yn eglur. Erbyn y bore wedyn, dyma waedd y gwylwyr ar y tair llong, 'Iwerddon! Iwerddon yn y golwg.' Fe dynnwyd am y lan yn Dun Loaghaire. Roedd twr o Wyddelod, a rhai o hil y Sgandinafiaid oedd wedi setlo yn Nulyn ers dros ddwy ganrif yno i'w gwylio'n glanio. Cyfarchodd Madog y dyrfa fechan ar y lan mewn Gwyddeleg a dweud ei fod yn dod o lys Owain Gwynedd a'i fod o a'i forwyr am fentro i weld pa mor bell y gallen nhw fynd i'r gorllewin. Ar ôl eu croesawu, dywedodd gŵr o'r enw Padrig wrth Madog, 'Mynd i'r gorllewin! Mentro braidd on'd ydych? Chlywsoch chi ddim am erchwyn y byd?'

'Do,' meddai Madog, 'ond dydym ni ddim yn meddwl fod y fath beth yn bod.'

'Ond mae pawb yn dweud ei fod o'n bod,' meddai Padrig.

'Dydw i ddim mor siŵr o hynny,' meddai Gwyddel mawr du ei farf. 'Rydw i wedi hwylio'n o bell i'r gorllewin a welais i erioed ddim byd tebyg i erchwyn, na dibyn, na dim.

A chofia, Padrig,' meddai, 'am Sant Brendan yn hwylio'r moroedd yma. Gweld rhyfeddodau, mae'n wir, ond dim dibyn, dim diwedd y byd.'

Tra oedd y sgwrs hon yn mynd yn ei blaen roedd Eric wedi adnabod y Sgandinafiaid wrth eu pryd a'u gwedd, ac wedi troi atyn nhw.

'Oes yna rywun yma'n nabod teulu Thorstein fab Thorbjörn?' gofynnodd yn ei famiaith, sef Nors.

'Pwy sy'n holi?' gofynnodd gŵr tal, cryf, coch ei wallt.

'Eric fab Bjarni yr Heliwr o Lychlyn,' meddai Eric.

'Thorvald fab Olaf ydw i,' meddai'r holwr. 'Mi glywais i am dy dad. Pam rwyt ti yma efo Cymry?'

'Yma efo fy nghyfaill Madog yr ydw i,' atebodd Eric.

'Rwyt ti wedi ei helpu o i gynllunio'r llongau yma.'

'Do. Fe achubodd Madog fy mywyd i, dyna pam.'

'Mae hynny'n gystal rheswm â dim,' meddai Thorvald.

'Oes yna forwr yn eich plith chi?'

'Rydym ni i gyd yn forwyr,' atebodd Thorvald.

'Roedd fy nhad yn dweud fod yna lawer o ynysoedd i lawr tua'r de,' meddai Eric. 'Oes unrhyw un ohonoch chi wedi clywed amdanyn nhw?'

'Rydw i,' meddai hen ŵr o'r enw Leif.

'Mae Leif wedi hwylio ymhell pan oedd o'n ifanc,' esboniodd Thorvald.

'Y mae yna ynysoedd, ond yma ac acw y maen nhw yn y môr mawr yma,' meddai Leif gan estyn ei fraich a chyfeirio at y môr.

'Ydych chi'n cofio am unrhyw un o'r ynysoedd yma?' holodd Eric.

'Rydw i'n cofio Ynys y Brain,' meddai, 'ymhell oddi ar arfordir Gallicia. Wedyn roedd yna Ynys y Cwningod, i'r de. San Zorzo wedyn, a Ventura, a Capraria – Ynys y Geifr – ac Ynysoedd y Canarias. Ac Infferno, y lle enbyd hwnnw: i ble bynnag yr ewch chi, peidiwch â mynd i fan'no. Ond os llwyddwch chi i fynd yn ddigon pell i'r de, mi ellwch chi anelu am y gorllewin wedyn. Yn ôl hanesion ein pobl ni, y mae yna wledydd ffor'no; draw, draw ymhell yn y gorllewin.'

'Roeddwn i'n iawn felly. Roeddwn i'n eithaf sicr fy mod i wedi clywed fy nhad yn sôn am ynysoedd tua'r de,' meddai Eric. 'Ac erbyn ichi ddweud, rydw i'n cofio'r enw, Ynys y Geifr. Diolch.'

'Ond mae'r llefydd hyn ymhell, bell,' meddai Leif. 'Mae yna fwy nag un llong wedi mynd oddi yma – o'r fan yma – i'r môr, ac i lawr am y de, heb ddod yn ôl.'

Fe groesawyd y criw i lys uchelwr yn Dun Loaghaire. Fe gawson nhw fwyd a diod, a gorffwys tan yn gynnar fore drannoeth. Yr adeg honno dyma Madog a'i griw'n mynd i'w llongau ac yn hwylio o'r harbwr am y môr agored eto.

'Gobeithio nad ydyn nhw ddim yn hwylio i'w beddau yn y dyfnder,' meddai Leif wrth ei gyfeillion oedd gydag o ar y lan yn eu gwylio nhw'n mynd.

Ar y môr agored, gosod cwrs am y de a wnaeth Madog, gan ddibynnu ar y fagned ryfeddol a gafodd gan Eric, a chan ymgynghori â hwnnw yn aml. Bu'r daith yn hwylus am rai dyddiau a'r gwynt yn deg. Yna, un prynhawn, trodd y gwynt yn groes iddyn nhw. Symudodd y llongau yn ddigon pell oddi wrth ei gilydd rhag ofn iddyn nhw ddryllio, y naill yn erbyn y llall; tynnwyd yr hwyliau i lawr; a chlymwyd popeth oedd yn rhydd mor dynn ag oedd modd. Roedd y cymylau fel sachau tywyll yn cael eu sgubo ar hyd yr awyr, a dechreuodd y môr godi a gostwng yn ddychrynllyd. Cadw trwynau'r llongau i gyfeiriad y tonnau oedd y dasg enfawr i'r llywyr a'r rhai oedd yn eu helpu. Un funud byddai llong i lawr mewn dyfnder, ac yna'n dringo'r don oedd yn symud ati, yn uwch na choeden. Ar y brig roedd y môr o gwmpas i'w weld yn eglur. Yna i lawr eto; suddo i bydew o wacter nes bod stumog pawb yn cael ei gorddi, i lawr, i lawr, i wynebu ton arall oedd yn codi fel mynydd brigwyn. Roedd pawb yn wlyb diferol, yn cydio am eu bywydau ym mha beth bynnag solat oedd wrth law. Un peth oedd wynebu'r tonnau yng ngolau dydd, peth arall – mwy brawychus o lawer – oedd wynebu cynddaredd y môr mewn tywyllwch, gan obeithio fod trwyn y llong yn wynebu'r tonnau, a chan gael eich taflu weithiau yn wysg eich ochor nes bod popeth yn malu o'ch cwmpas. Wrth i hyn fynd ymlaen ac ymlaen roedd yr arswyd yn troi'n syrffed, a deuai'r demtasiwn i ildio a rhoi'r gorau i bob ymdrech yn gryfach, gryfach, fel pe bai marwolaeth yn gafael yn raddol ymhob un ac yn gwasgu, gwasgu. Ond cyn iddi hi ddyddio fe ostegodd y dymestl ac yr oedd y llongau'n bownsio yn y ffordd arferol ar fôr anesmwyth. Uwchben roedd yr awyr yn dal yn dywyll ac yn drwm. Dyma'r gyntaf o lawer o stormydd y bu'n rhaid i'r morwyr hyn eu hwynebu.

Wrth iddi oleuo gwelwyd fod y tair llong ymhell bell oddi wrth ei gilydd, ac yr oedd y tair yn llanast, popeth yn strim-stram-strellach; peth o'r bwyd wedi ei golli, a pheth o'r dŵr oddi ar fwrdd *Eryn*. Am ddeuddydd bu'r criw wrthi'n ceisio cael rhyw fath o drefn ar y distryw, ac yn ceisio trwsio rhannau o'r llongau oedd wedi malu.

'Taswn i'n gwybod mai fel hyn y byddai hi, fuaswn i ddim wedi dod,' meddai Anwawd.

'Cau dy geg a gwna dy waith fel pawb arall,' meddai Madog wrtho'n chwyrn. Doedd hi ddim yn lles cael neb yn cwyno, rhag ofn i'r criw ddechrau mynnu troi'n ôl.

A bu raid i Anwawd, fel amryw o'r morwyr eraill, afael mewn bwced a mynd ati i wagio dŵr o gorff y llong.

# 5
# San Zorso, Efallai

Er bod Madog wedi rhoi'r dasg i un o'i forwyr naddu hic ar goedyn praff ar gyfer pob dydd, er mwyn cael syniad o ba mor hir oedd eu taith, roedd y coedyn wedi ei golli yn y storm, a bras syniad yn unig oedd gan y morwyr am barhad eu taith hyd yn hyn. Ond ymddangosai'n hir iawn i bawb. Yna, un dydd braf iawn, gwaeddodd Eric. 'Tir! Tir!'

Cododd pawb ar eu traed a gweld tir yn y pellter. Dyma pawb yn gafael yn eu rhwyfau ac yn tynnu gyda brwdfrydedd. Fel y deuai'r ynys – canys dyna ydoedd – yn nes ac yn nes gellid gweld ei bod yn greigiog iawn a'i bod hi'n mynd i fod yn anodd glanio. Bu'n rhaid rhwyfo am awr neu ddwy cyn gweld lle y byddai'n bosib glanio yno. Angorwyd y llongau, a nofiodd y rhan fwyaf o'r morwyr i'r lan, ond gan adael gwylwyr i gadw golwg ar y llongau, nes y deuai eu tro hwythau i gael eu traed ar dir cadarn unwaith eto. Y peth cyntaf a wnaeth Madog oedd peri i bawb fynd ar eu gliniau i ddiolch i Dduw am eu cadw a dod â nhw'n ddiogel i dir, *'Bonum est confiteri Domino,'* meddai (sef, 'Da yw rhoddi mawl i'r Arglwydd').

Un o'r rhai cyntaf i gyrraedd glan oedd Anwawd. Yr oedd wedi sylweddoli fod ei daith yn mynd i fod yn gyfle godidog iddo hel straeon i'w hadrodd yn y llys ac mewn tai mawr wedi iddo ddychwelyd adref – 'Os byth y digwyddith hynny,' fel y dywedai wrtho'i hun – felly roedd yn mynd o gwmpas gan sylwi'n fanwl, fanwl ar bopeth.

Ynghanol crïo a nadu llawer math o wylanod, ei draed – a'r rheini'n brifo – oedd y pethau cyntaf y sylwodd o arnyn nhw. Nid tywod oedd ar y lan ond darnau o greigiau a chregyn. Fel y troediai'n garcus iawn ar hyd y lan meddyliai sut y byddai'n disgrifio'r rhain wedi cyrraedd adref.

'Fe ddaethom ni i ynys o graig, mwy o lawer na'r Wyddfa o ran uchder, a'r môr wedi curo'n ei herbyn gan dynnu i lawr ddarnau o gerrig oedd mor finiog â chyllyll; pethau felly oedd ar y lan yn y lle hawsaf i ddod i dir. Roedd yno gregyn cymaint â'n sgidiau ni, a be wnaethom ni oedd rhoi'r cregyn yma am ein traed gan eu clymu efo gwymon. Ar ôl tipyn, fe allwn i sglefrio'n braf ar hyd y lan gan arbed fy nhraed rhag cael eu malu.

'Fe ddaethom ni o hyd i ddŵr yno, yn llifo i lawr o'r graig. Roedd yn glir iawn, a blas cerrig arno; yn ardderchog at dorri syched. Roedd o'n golchi dillad fel eu bod nhw'n dod yn fwy lliwgar. Gan ei bod hi mor boeth doedd dim rhaid inni geisio cynnau tân. Dim ond ichi adael eich dillad ar y cerrig ar y lan ac o fewn dau funud roedden nhw'n sych grimp. Roedd y crys, wnes i ei olchi, mor wyn nes ei bod hi'n anodd gen i edrych arno heb gael fy nallu. Mi fyddai'n braf iawn cael cysgodion ar y llygaid i'w harbed nhw rhag y gwynder yma sy'n taslo cymaint.

'Ar ôl dod yn gyfarwydd â'r lan, fe aeth nifer o'r rhai dewraf ohonom ni i ddringo'r graig. Roedd yn waith peryglus gan ein bod ni'n aml yn gorfod hongian uwch gwagleoedd gerfydd ein gwinedd. Ond chafodd neb ddim niwed. Roedd yna goedwig fawr ar ben y graig, a blodau o bob math o liwiau yno, a'r rheini hefyd mor llachar nes bod rhywun yn gorfod rhoi ei law uwch ei lygaid i edrych arnyn nhw. O gwmpas, roedd yna wenyn, a phob un ohonyn nhw'r un faint â dwrn Tudwal, ac yn gwneud sŵn uchel, fel cath yn canu grwndi. Ar rai o'r coed roedd yna ffrwythau tebyg iawn i ddraenogod yn tyfu. Rhaid bod yn ofalus iawn wrth dynnu eu croen pigog nhw neu fe allai'n hawdd

dorri'ch dwylo chi. Mae'r hyn sydd y tu mewn yn felyn ac y mae ei flas yn bigog ac yn gwneud i ddannedd rhywun deimlo'n sych.

'Ddaru ni gwympo dwy neu dair o goed a'u torri nhw'n ddarnau hawdd i'w cario, a'u taflu nhw i lawr o ben y creigiau i lan y môr. Mi wnân nhw'n iawn ar gyfer trwsio'r llongau ac i gael coed wrth gefn ar gyfer unrhyw ddifrod arall.

'Mewn rhai llefydd y mae yma wningod, rhai mawr a hynod o ddof. Maen nhw'n dod i fyny atom ni ac yn rhwbio'u trwynau yn ein dwylo ni. Ond mi ddaru rhai ohonom ni fethu peidio â lladd rhai ohonyn nhw. Wedi cynnau tân, trwy rwbio brigau sychion yn ei gilydd, mi gawsom ni gig ffres am y tro cyntaf ers inni adael Gwynedd. Roedd blas tebyg iawn i gyw iâr arno fo.

Ond er ein bod ni wedi

bwyta rhai ohonyn nhw, ddaru'r gwningod druan ddim peidio â dod i fyny atom ni.

'Ar ôl rhai dyddiau dymunol iawn roedd Madog yn arwain amryw ohonom ni i fyny llethr mynydd pan glywsom ni sŵn rhyw chwyrnu dwfn, fel petai o'n dod o rywle o dan ein traed ni. Wedyn fe ddechreuodd yr ynys grynu, yn union fel pe bai yna ryw ddraig fawr yn y ddaear yn codi ac yn sgyrnygu. Cyn inni gael ein gwynt atom, dyma ben y mynydd yn chwythu, a darnau o dân yn disgyn yma ac acw, fel petai'r ddraig yn eu poeri nhw atom ni. Dyma ni'n rhedeg gynta gallem ni am y graig oedd yn mynd i lawr i lan y môr. Roedd hi fymryn yn well yn fan'no – doedd y darnau o dân ddim yn cyrraedd fan'no. Ddaru ni aros a gweld afon o dân yn dechrau llifo i lawr ochor bella'r mynydd a mwg mawr yn codi. Yn fan'no y gwelais i ben y ddraig fwyaf yn y byd yn codi dros gopa'r mynydd ac yn edrych i lawr arnom ni efo llygaid mawr coch. Mi giliodd wedyn, a dechrau poeri tân eto a thaflu i fyny'r afonydd yma oedd yn llosgi wrth lifo i lawr am y môr. Gynted ag yr oedd yr afonydd o dân yma'n cyrraedd y dŵr roedd yna fwg tew du yn codi. Dim ond cael a chael oedd hi arnom ni i gyrraedd i lawr y graig i'r lan a chwilio am le i guddio cyn i bob man fynd yn dywyll – a hynny ar ganol dydd! Mi fu felly am ddeuddydd o leiaf cyn i wynt mawr godi a chlirio'r mwg du a drewllyd yma oedd yn ddigon i'n tagu ni, ac yn gwneud i'n llygaid ni losgi.

'Gorchmynnodd Madog ein bod ni'n mynd i'r llongau ar unwaith. Roeddem ni wedi bod yn cario ffrwythau pigog a chwningod, dŵr a choed i'r llongau – gan eu hwylio nhw ar ddarnau o goed wedi eu clymu efo'i gilydd – ond roedd yna fwy ar ôl ar y lan i'w cario i'r llongau. Ond mynd a'u gadael nhw fu raid, a phawb yn fwy na bodlon ufuddhau i Madog, a'i sgrialu hi am y llongau. Gynted ag yr oedd pawb yn ei long dyma ni'n dechrau rhwyfo am y môr mawr. A'r peth diwethaf un a welsom ni oedd y ddraig yn codi ei phen eto dros ymyl y mynydd ac yn dechrau poeri tân a mwg eto.'

# 6
# Rhyfeddodau'r Dyfnder

**A**r ddyddiau llonydd byddai'r morwyr yn pysgota, ac yn dal clampiau o bysgod yn eithaf aml. Ond roedd yn rhaid eu bwyta nhw'n amrwd, heb eu coginio. Eu torri'n ddarnau bach a wnâi'r rhan fwyaf a'u llyncu nhw. Ar ddyddiau eraill, llonydd a phoeth, byddai'r rhan fwyaf o'r criw yn mentro i'r môr i nofio, gan gadw'n weddol agos at eu llongau eu hunain. Byddai rhaff yn llusgo yn y dŵr i'w gwneud hi'n haws i'r morwyr ddod yn ôl petai rhywbeth anarferol yn digwydd.

Un diwrnod llonydd roedd Madog, Tudwal a Chynon, a rhyw bedwar arall yn nofio heb fod ymhell oddi wrth y llongau pan welwyd asgell yn torri trwy'r dŵr. Gwaeddodd Madog, 'Peryg! Peryg! Ar y dde.' Trodd Tudwal yn y dŵr a gweld siarc yn nesu. Doedd o ddim yn siarc mawr iawn, ond roedd o'n fwy nag unrhyw siarc y byddai neb yn dymuno'i gyfarfod. Fel yr oedd y siarc yn nesu at y criw oedd yn nofio wrth un o'r llongau suddodd Tudwal o dan y dŵr. Estynnodd y gyllell yr oedd bob amser yn ei chario. Gwelodd siâp y siarc uwch ei ben, yn anelu at un o'r criw oedd yn nofio am ei fywyd am un o'r llongau ac yn sblasio'n ofnadwy yn ei fraw. Cododd Tudwal a thrawo ei gyllell yn stumog y siarc. Dechreuodd hwnnw waldio'r dŵr â'i gynffon nes bod y lle'n drochion o ewyn gwyn a gwaed. Yna cyrhaeddodd Cynon yn dal yn y rhaff oedd yn llusgo o un o'r llongau a llwyddo i'w throi am gynffon y siarc. Haliodd y morwyr oedd yn y cwch yn y rhaff. Erbyn hyn roedd Tudwal wedi codi ei ben o'r dŵr. Sleisiodd gynffon y siarc nes fod darn ohoni'n hongian wrth ei gorff wrth linyn tenau o groen. Roedd y siarc yn swalpio'n ffyrnig. Tra roedd hyn yn digwydd nofiodd Tudwal a Chynon â'u holl egni am y llong agosaf. Anelodd y siarc amdanyn nhw ond ni allai lywio ei gorff gan fod ei gynffon wedi ei thorri. Tynnodd y criw Gynon o'r dŵr mor sydyn nes ei fod o fel pe bai wedi neidio ohono. Cyn i Dudwal allu cael ei godi roedd y siarc wedi gallu hel ei hun ato. Ond dyma ddau o'r morwyr yn ymosod ar flaen ei wyneb â'u rhwyfau. Bu hynny'n ddigon i'r morwyr gael gafael yn Nhudwal a'i halio'n flêr i fwrdd y llong. Yna stwffiodd un o'r morwyr flaen ei rwyf i geg y siarc. Caeodd yntau ddwy res o ddannedd llymion amdani a'i thorri fel brwynen. Gan fod cymaint o waed yn y dŵr, cyn fawr o dro roedd esgyll eraill o gwmpas y llong, ac yr oedd y môr yn berwi gan siarcod oedd wedi eu denu yno trwy synhwyro'r gwaed. Roedden nhw'n torri talpiau o'r siarc clwyfedig ac yn eu llyncu, a chyn bo hir doedd dim ar ôl ohono ond crafion o gnawd ar esgyrn oedd wedi malu yn y môr gwaedlyd. Yna doedd dim byd ar ôl ond esgyll dychrynllyd siarcod yn gwau trwy ei gilydd. Aeth yna neb i nofio yn y môr am amser maith wedi hyn.

Ar ar ôl rhai dyddiau o hwylio rhwydd tua'r de fe waeddodd y gwyliwr ar *Gwennan Bendragon* fod yna 'ffrydiau croes', sef cerrynt croes, i'w gweld beth pellter i ffwrdd. Gorchmynnodd Madog dacio'r rhaffau i droi'r hwyl er mwyn newid cyfeiriad. Ond doedd dim yn digwydd: roedd y llongau'n dal i hwylio yn eu blaenau fel pe baen nhw'n cael eu tynnu i gyfeiriad y tonnau gwynion croes. Cyn bod yn hir iawn roedd y llongau'n troi mewn cylchoedd o fôr oedd fel pe bai o'n berwi. 'Rhowch gynnig ar rwyfo,' meddai

Madog, yn fwy mewn gobaith nag o ddifrif. Dyna a wnaed, ond doedd hynny chwaith ddim yn tycio. Ni allai'r morwyr wneud dim ond cael eu symud o gwmpas gan ferw'r môr. Buont felly am awr neu well, yn gwbwl ddiymadferth. Yna dechreuodd y berw dawelu. Gwelai'r morwyr heidiau o bysgod o gwmpas eu llongau, ac fe gawson nhw helfa dda. Yna diflannodd y pysgod, a daeth rhyw dawelwch anesmwyth dros bopeth. Roedd Anwawd yn sefyll yn agos at drwyn *Gwennan Bendragon*, a dyma fel y cyfansoddodd o'r hanes yn ei ben ar gyfer ei adrodd yn nes ymlaen:

'Yn sydyn doedd yna ddim un sgodyn i'w weld. Roedden nhw wedi bod yno'n heigio drwy'i gilydd, yn fflachio yn yr heulwen; ac yna doedd dim asgell ar ôl. Roedd y môr, a oedd wedi bod yn corddi'n wyn, yn llonydd, llonydd, ac fe aeth pawb yn ddistaw – wn i ddim pam; y cwbwl oedd i'w glywed oedd coed y llong yn griddfan yn ysgafn weithiau. Mi es i i edrych dros ochor y llong i lawr i'r dyfnder. Mi welwn ychydig o swigod yn codi. Yna fe welais i rywbeth tebyg i olau gwyrdd fel pe bai o'n nofio'n araf i'r wyneb. Dechreuodd y golau yma gymryd siâp, rhyw siâp crwn mawr. Yna mi sylweddolais i beth oedd y siâp crwn o olau gwyrdd yma: llygad oedd o, llygad nad oedd ddim yn blincio. Ac roedd y llygad oer yma'n syllu'n wyrdd arna i. Mi deimlwn fy nghorff yn mynd yn oer drosto. Ac yna fe welwn fod y llygad yma'n rhan o ben anferth. Erbyn hyn roedd gweddill y criw'n edrych dros ymyl y llong. Roedd yna gorff tywyll yn ymestyn allan i'r môr. Ond yr hyn a fferrodd waed pawb ohonom ni oedd gweld hyd y corff yma oedd yn y dŵr. Roedd o'n cyrraedd i ben draw ein llong ni, oedd yn gymaint o hyd â derwen fawr. Ond yna, dyma'r morwyr oedd ar y llong nesaf atom ni yn dechrau cyfeirio at y dŵr. Roedd y corff yn estyn atynt hwythau hefyd. Mi edrychais i'n ôl dros ochor ein llong a gweld pethau fel breichiau hir yn ymestyn, yn nofio neu hongian allan yn bellach nag y gallwn

i weld. Roedd y pen mawr fel pe bai o'n chwyddo rhywfaint ac yna'n mynd ychydig yn llai, fel pe bai o'n anadlu. Ac mi allwn i weld rhywbeth fel pig mawr, fel pig eryr, yn y pen. Wn i ddim am ba hyd y bûm i fel hyn yn edrych i lawr ar y llygad oer a gwyrdd. Yna fe chwyddodd y pen yn fwy nag unrhyw dro o'r blaen, fel swigen mochyn yn llenwi efo gwynt, ac mi ddiflannodd y creadur yma yn ei ôl i'r dyfnder. Roedd pawb yn edrych ar ei gilydd heb fedru dweud dim am ychydig, ac yna fe ddaru Madog ddweud gweddi o ddiolch i Dduw am ein cadw ni. Yna mi orchmynnodd i bawb dynnu'n dyner yn eu rhwyfau. Mi symudson ni'n araf bach, heb ddim sblasio na chyffro am amser maith, ac yna dyma pawb yn dechrau siarad ar draws ei gilydd am yr anghenfil nad oedd gan neb ohonom ni enw iddo fo.'

Dal i hwylio tua'r de y bu'r tair llong am ddyddiau wedyn. Mi ostegodd y gwynt ac fe lwyr beidiodd y glaw. Ddydd ar ôl dydd roedd hi'n crasu o boeth, a phawb yn ceisio cysgod o dan y cynfasau. Roedd pob dim yn crino dan lewyrch ffyrnig yr haul, gan gracio a chrimpio a phylu. Dechreuodd coed y llongau wynnu yn y gwres, ac fe drôi asgwrn pob pysgodyn oedd ar y byrddau'n wyn fel eira. Roedd dillad pawb yn grimp, ond ymdrechai pob un i gadw ei groen rhag cyffyrddiadau tanbaid yr haul didrugaredd. Er hynny roedd croen ambell un yn pilio ac yn cracio ac yn agor. Roedd gwefusau pawb yn galed a'u tafodau'n gras yn erbyn y tu mewn i'w cegau. Roedd Madog wedi gorchymyn mai hanner cwpanaid o ddŵr croyw roedd pawb i'w gael fesul dydd ac, er yr holl gwyno, felly y bu. Unig fantais y gwres llethol hwn oedd ei fod yn lladd drewdod arferol y llongau. Doedd ar neb fawr o eisio bwyd, a dechreuodd amryw wanhau a cholli pwysau'n sylweddol. Roedd pawb yn mynd yn fwy digalon o un dydd i'r llall, ac yn cysgu am oriau ddydd a nos. Roedden nhw'n ddisymud mewn diffeithwch o fôr. Dyma gofnod Anwawd o'r hyn

a ddigwyddodd un diwrnod yn y llonyddwch tanbaid hwn.

'Roeddem ni'n dechrau gobeithio y byddem ni'n marw. Roeddem ni fel cysgodion yn gwywo, a neb yn siarad fawr ddim efo'i gilydd. Roeddem ni ar fôr mawr marwolaeth, heb ddim byd o gwbwl i godi dim ar ein calonnau ni. Un diwrnod pan oedd y rhan fwyaf o griw ein llong ni'n hepian o dan gynfas fe ddaeth yna waedd o ddychryn a syndod o gefn y llong a dyma ryw dduwch yn symud dros ein cynfas ni. Tynnwyd y gynfas i un ochor. Roedd y llywiwr yn y cefn yn edrych i fyny a'i lygaid a'i geg yn agored led y pen. Roedd ein cegau a'n llygaid ni i gyd yn agored led y pen pan ddaru ninnau edrych i fyny. Ychydig fetrau oddi wrth ein llong ni roedd gwddw gwyrdd praff yn codi i'r awyr cyn uched â hanner uchder ein mast ni. Ar ben y gwddw hwnnw roedd yna ben sarff anferth, efo dannedd fel draig, a hynny mewn ceg a oedd o liw coch gloyw. Roedd y sarff yn agor a chau ei cheg yn rheolaidd bob hyn a hyn, fel pe bai hi'n anadlu drwyddi. Yn ei phen mawr roedd yna ddau lygad coch yn sgleinio i lawr arnom ni. Weithiau byddai'r llygaid yn cau, gyda hanner amrant yn cau o dop ei llygaid ar i lawr a hanner amrant yn codi o waelod ei llygaid ar i fyny. Roedd y gwddw wedi ei orchuddio efo cen, a phob darn ohono gymaint â dwrn dyn, a'i liw gwyrdd yn newid yn las dwfn weithiau wrth i'r haul sgleinio arno fo. Y tu ôl i'r sarff roedd ei chorff, oedd ddwywaith hyd ein llong ni, a pheth ohono'n dod i'r golwg uwchben y dŵr yma ac acw.

'Safodd y sarff-fôr yma â'i gwddw uwchben y dŵr am rai munudau. Yna aeth o dan y dŵr, â'i phen yn gyntaf, a phlymio o dan ein llong o un ochor. Fe welsom ni ei chorff hir hi'n llusgo ar ei hôl, a dechreuodd y llong gyfan siglo o'r naill ochor i'r llall. Pe bai'r sarff wedi codi tra oedd hi o dan ein llong mi fuasai hi ar ben arnom ni, ond – diolch byth – ddaru hynny ddim digwydd. Mi gododd ei phen o'r dŵr yr ochor arall i'n llong a nofio ymaith felly gan adael crych tawel o'i hôl, crych oedd yn lledu wrth iddi fynd, yn hamddenol i ddechrau ac yna'n gyflymach, gyflymach nes iddi ddiflannu.'

'Mi wyddwn i fod creaduriaid fel yma'n bod,' meddai Eric. 'Mae yna hanesion am seirff fel hyn yn fy ngwlad i. Rydym ni'n lwcus iawn na ddaru hi ddim ymosod arnom ni.'

'Diolch i Dduw na ddaru hi ddim,' meddai Madog.

Er bod y morwyr yn dal i grasu yn y gwres, ar ôl i'r sarff-fôr ddiflannu roedden nhw i gyd yn siarad amdani am hir iawn wedyn, ac yn dal i ofni'r gwaethaf ar y dyddiau aml hynny'n ddiweddarach pan oedden nhw'n llonydd, yn crasu yn yr haul, a bron â marw o syched.

# 7
# Ynysoedd y Cŵn

**B**u Madog a'i griw yn y llonyddwch tanbaid am lawer o ddyddiau wedyn, ac roedd pawb, ond efô ac Eric, yn meddwl mai dyma oedd diwedd y daith iddyn nhw, ac na ddoen nhw ddim oddi yma'n fyw. Yna un bore fe gododd awel. Dyma pawb yn codi'r hwyliau ar gymaint o frys ag oedd yn bosib i rai oedd mewn cymaint o wendid. Cryfhaodd yr awel erbyn y prynhawn a dal i chwythu'n ddymunol drwy'r nos. Ar hanner dydd y diwrnod canlynol dyma'r gwyliwr ar y llong oedd ar y blaen, sef *Ffreuer* erbyn hyn, yn gweiddi, 'Tir! Tir!'

Llamodd calonnau pawb gan lawenydd. Llywiwyd y tair llong hyd at lannau efo tywod du arnyn nhw. Neidiodd pawb allan, a gorwedd a chusanu'r tywod du hwnnw. Unwaith eto offrymodd Madog weddi, *'Laudate Dominum, quia benignus est.'* ('Molwch yr Arglwydd, oherwydd mai da ydyw.') Wedi sicrhau'r llongau a gadael rhai ar ôl i'w gwarchod, aeth pawb arall i fyny o'r traeth, gan gario arfau – rhag ofn.

Wedi gadael y traeth, fe drodd y tywod du yn dir gwyrdd a ffrwythlon – o leiaf yr oedd pethau'n tyfu ar y coed. Beth oedden nhw, doedd gan neb ddim syniad. Roedd yna glympiau o bethau melyn, fel bysedd tewion yn tyfu ar rai o'r coed. Fe dynnodd Ynyr yn un o'r bysedd hyn a daeth yn rhydd yn ei law. Fe'i rhoddodd yn ei geg a brathu. Ond buan iawn y poerodd o'r gegiad allan.

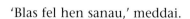

'Blas fel hen sanau,' meddai.

Ond yna gwelodd mai croen oedd y lliw melyn a bod rhywbeth gwyn o'i fewn. Tynnodd y croen i gyd a'i daflu ymaith, a brathu tamaid o'r stwff gwyn. Goleuodd ei lygaid, a dechreuodd arthio bwyta. Wrth weld fod y peth yn fwytadwy dilynodd eraill ei esiampl, ac yr oedd y rhan fwyaf yn hoffi'r blas.

'Mi edrychwn ni a oes yma ddŵr,' meddai Madog, 'yna mi allwn ni lenwi croen neu ddau a'u hanfon nhw, a chlympiau o'r bysedd tewion yma, i'r gwarchodwyr.'

Cyn bo hir dyma waedd, 'Dŵr!' Roedd yno nant glir yn llifo'n llyfn am y môr. Cythrodd pawb am y dŵr. 'Ara' deg,' meddai Madog, 'neu sâl fyddwch chi.'

A dyma'r rhan fwyaf yn cymryd ei gyngor ac yn llempian diod yn araf. Aeth y ddau a ddrachtiodd yn ddwfn o'r dŵr yn sâl ymhen ychydig.

'Dyna be sy i'w gael am beidio â gwrando,' meddai Eric. Ac er bod y trueiniaid yn o giami, chawson nhw ddim cydymdeimlad. 'Mi gewch chi'ch dau fynd â dŵr a ffrwythau i'r gwylwyr,' meddai Madog.

'A bod mor sâl ag a leciwch chi ar y traeth du!' ychwanegodd Eric.

Ar ôl wythnos roedd y morwyr wedi cael eu cefn atynt, ac roedden nhw wedi dechrau crwydro'r ynys. Un diwrnod roedd Madog a Chynon yn mynd ar y blaen i ddwsin o'r morwyr pan welson nhw nifer o gŵn anferth yn y pellter. Gwaeddodd Madog, 'Mae yna gŵn… neu fleiddiaid yn fan'cw.' Wrth ddweud hyn tynnodd ei gleddyf. Daeth Elidir ato. 'Cŵn ydyn nhw,' meddai. 'Ond rhai mwy nag a welais i erioed.'

Eisteddai'r cŵn yn edrych arnyn nhw, heb symud.

'Allwn ni fentro yn ein blaenau?' holodd Elidir.

'Pam lai,' meddai Tudwal a oedd wedi ymuno ag o a Madog a Chynon erbyn hyn.

Ac yn eu blaenau yr aethon nhw. Doedd y cŵn yn symud dim, ond dyma nhw'n dechrau cyfarth. Yna'n sydyn fe gododd y cwbwl ohonyn nhw – chwech i gyd – ar unwaith a dechrau rhedeg i gyfeiriad y morwyr gan gyfarth yn ffyrnig. Erbyn hyn roedd y morwyr oedd ar y blaen, i gyd ond Tudwal, â'u cleddyfau'n barod. Neidiodd y ci cyntaf am Madog. Roedd ei ddannedd yn wynion a hir ac yr oedd yna lafoer gwyn o gwmpas ei geg. Dyma Madog yn ei daro ar ei ben efo'i gleddyf nes bod hwnnw'n hollti'n waed i gyd. Erbyn hyn roedd Tudwal wedi gafael yng ngwddw ci arall. Dyma fo'n ei chwyrlïo o gwmpas bedair neu bump o weithiau ac yna'n ei ollwng nes ei fod yn hwylio trwy'r awyr ac yn glanio ben yn gyntaf yn erbyn carreg. Roedd Elidir yn cael tipyn o drafferth efo un arall o'r cŵn. Roedd o wedi cael gafael yn narn o'r brethyn yr oedd Elidir yn ei wisgo ac yn tynnu'n ffyrnig gan chwyrnu'n fileinig. Daeth Cynon at Elidir a phlannu ei gleddyf yn ystlys y ci. Gwichiodd yn uchel, gollwng y brethyn a throi ar Gynon. Ond i ddim pwrpas; fe holltwyd ei ben yntau hefyd. Roedd Tudwal wedi lladd ci arall efo'i gyllell, ac Elidir wedi clwyfo'r pumed ohonyn nhw nes bod golwg druenus arno. Roedd un ci ar ôl, clamp o beth du a oedd erbyn hyn wedi'i ollwng ei hun ar y llawr ac yn hel ei nerth i neidio. Chwyrnai'n fygythiol a chadw ei lygaid yn ddi-syfl ar Gynon.

'Gad hwn i mi,' meddai Tudwal, a dod a sefyll rhwng Cynon a'r ci.

Roedd llygaid llidiog hwnnw arno erbyn hyn, a chan chwyrnu'n ddwfn dyma fo'n llamu am wddw Tudwal. Rhoddodd hwnnw ergyd iddo â chlamp o ddwrn ar ochor ei ben nes ei fod o'n gwichian wrth iddo hwylio i un ochor trwy'r awyr. Glaniodd yn drwm ac afrosgo, ond dyma fo'n troi'n eithriadol o gyflym ac yn mynd am Dudwal eto. Pan oedd yn yr awyr, ar ganol ei naid, dyma saeth yn gwingo i'w berfedd. Roedd un o'r morwyr

oedd yn y cefn wedi gweld beth oedd yn digwydd. Cwympodd y ci'n swp wrth draed Tudwal, hanner symud yn ddiymadferth, ac yna ymollwng yn swp marw.

'Diolch yn fawr!' meddai Tudwal yn goeglyd. 'Roeddwn i'n crynu yn fy sgidia!'

'Mi wnest ti'n iawn,' meddai Elidir wrth y

saethwr, wedi i hwnnw gyrraedd atynt. Gwenodd wedyn, ac ychwanegu, 'Mi arbedaist ti gryn drafferth i Dudwal!'

'Mi wyddom ni fod yna gŵn ar yr ynys yma,' meddai Cynon. 'Os gwn i a oes yna bobol yma.'

'Y peth calla inni'i wneud rŵan ydi mynd yn ôl at y lleill – rhag ofn i bethau fynd yn flêr arnyn nhw heb i ni wybod,' meddai Madog.

Erbyn i Madog a'i griw ddychwelyd i lan y môr lle'r oedd yna, erbyn hyn, wersyll wedi ei sefydlu o fewn golwg y llongau, doedd yna ddim byd mawr wedi digwydd. Ond dywedodd y ddau a fu'n chwilio o gwmpas y traeth fod yna olion mynd a dod yn y coedydd rhyw ddwy filltir o'r gwersyll.

'Mi awn ni i gael golwg ar y lle yfory,' meddai Madog. 'Rydw i am i bawb ohonoch chi fwyta digon o'r afalau melyn yr ydym ni wedi eu hel – maen nhw'n gwneud lles i'n croen ni, ac yn helpu i wella briwiau.'

'Maen nhw'n llawer mwy blasus ar ôl tynnu'r croen. Mae'r ffrwyth yn torri yn siâp lleuad-newydd wedyn,' meddai un o'r morwyr.

'Glywsoch chi hyn'na'n do?' meddai Madog. 'Mi wnawn ni i gyd yr un peth.'

Y bore wedyn, dyma adael cwmni bach yn y gwersyll i gadw golwg ar bethau tra oedd y gweddill yn mynd ar sgawt, efo'r ddau a welodd olion yn dangos y ffordd. Wrth ddod yn nes, nes at y fan cafodd Madog y teimlad fod rhywun neu rywrai yn ei wylio. Yna, yn ddistaw ac yn sydyn, fel pe bai'r coed a'r llwyni o'u blaenau wedi deffro, roedd rhes o ddynion yn sefyll yn edrych arnyn nhw. Roedd eu crwyn yn dywyll, ond eu gwalltiau yn olau. Roedden nhw'n gwisgo dillad o ledr a hesg wedi eu plethu, ac yn eu dwylo roedd ganddyn nhw gyllyll a gwaywffyn cyntefig. Safodd y ddau griw o ddynion yn llonydd, yn llygadu ei gilydd am rai munudau. Yna daeth un o'r brodorion yn nes, gam wrth gam ac yn dra gwyliadwrus. Rhoddodd ei law ar ei fynwes a dweud, 'Gwanshe.'

Camodd Madog ymlaen yr un mor wyliadwrus, rhoi ei law ar ei fynwes a dweud, 'Madog.'

Yna cyfeiriodd y brodor at ei ddynion a dweud eto, 'Gwanshe.'

Y tro hwn, dyma Madog yn cyfeirio ato'i hun efo'i fys a dweud, yn glir iawn, 'Madog.' Yna cyfeiriodd at ei ddynion a dweud, 'Cymry.'

Dyma'r brodor yn cyfeirio at ei ddynion a dweud, 'Gwanshe,' eto, ac yna'n cyfeirio ato'i hun efo'i fys a dweud, 'Cano.'

Cyfeiriodd Madog at y môr a gwneud ystum i fyny ac i lawr efo'i law, i awgrymu taith dros donnau, ac yna amneidio tua'r pellter. Rhoddodd Cano ei arfau i lawr a dod yn nes. Rhoddodd Madog yntau ei gleddyf i lawr a chamu'n nes at Cano. Amneidiodd hwnnw arno i'w ddilyn. Gwahanodd ei ddynion a gwneud lle i'w forwyr fynd ar ôl Madog. Fe wnaethon nhw hynny'n ofalus, ond gan nodio'n glên ar y brodorion.

Ar ôl milltir o gerdded daethant at le agored yn y coed lle'r oedd tai wedi eu gwneud o goed a hesg, a'r rheini wedi eu gosod mewn cylch. Yn y canol yr oedd tân mawr a chig yn cael ei rostio arno. Roedd y Cymry'n adnabod aroglau cig moch. Trwy arwyddo â'i ddwylo awgrymodd Cano fod y Cymry'n eistedd ar un ochor i'r tân, a gwnaeth ei ddynion yntau'r un peth yr ochor arall. Yna daeth merched allan o'r tai, yn gwisgo dillad o hesg wedi eu plethu, a dechrau cario ffrwythau mewn dysglau i bawb oedd yno, gan ddechrau gyda'r Cymry, a chan wenu'n ddel ar bawb. Yna dyma nhw'n dechrau torri'r cig yn dalpiau a'u rhoi nhw ar blatiau pridd a'u rhannu, fel gyda'r ffrwythau. Dechreuodd pawb fwyta'n llawen. Yna dyma nhw'n dod â diodydd iddyn nhw mewn cwpanau pridd. 'Araf deg efo'r ddiod, hogiau,' meddai Madog gan wenu'n ddymunol ar Cano ac yfed tipyn o'i gwpan. Cododd hwnnw ei gwpan ei hun at ei geg a drachtio'r cyfan ar un llwnc. Dyna a wnaeth pawb o'i ddynion hefyd. Daeth y merched ag ychwaneg o ddiod iddyn nhw, ac fe wnaethon nhw'r un peth efo hwnnw. Ac, er gwaethaf gorchymyn Madog, dechreuodd rhai o'r Cymry wneud yr un peth. Ymhen tipyn dechreuodd y brodorion godi a ffurfio cylch, gan amneidio ar i'r Cymry wneud yr un fath. Ac felly y bu. Dechreuodd y brodorion ddawnsio gan siantio ac awgrymu fod y Cymry'n gwneud hefyd. Trwy'r adeg roedd y merched yn mynd a dod efo diodydd. Wrth yfed ac wrth chwysu dechreuodd amryw o'r Cymry deimlo'n rhyfedd. Dyma Anwawd yn mynd i ben carreg ac yn dechrau adrodd barddoniaeth – yn neilltuol o sâl fel yr oedd hi'n digwydd. Wrth weld hyn dyma pawb o'r brodorion yn stopio, yn gwrando'n ofalus, ac yna'n moesymgrymu o'i flaen a gorwedd ar eu hwynebau ar y llawr, a dyma'r cŵn yn dechrau udo. Cydiodd Cano ym mraich Madog a chan gyfeirio at Anwawd dywedodd, 'Bani. Bani.'

'Adrodd ciami,' meddai Madog, gan ysgwyd ei ben yn ymddiheurol.

'Bani mohwbw,' meddai Cano. 'Bani mohwbw.'

'Bani mohwbw?' gofynnodd Madog mewn penbleth.

'Bani mohwbw,' meddai Cano yn bendant.

'Mae'n rhaid fod y perfformiad yma gan Anwawd yn golygu rhywbeth iddyn nhw,' meddai Elidir wrth Madog.

'Felly roeddwn innau'n meddwl,' meddai Madog, 'ond golygu be?'

'Efallai bod a wnelo hyn â'r peth,' meddai Ynyr.

Roedd chwe dyn cryf yn cario dynes nobl iawn ar ryw fath o wely. Roedd hi wedi ei gwisgo braidd yn sgimplyd efo tuswau o hesg oedd yn dangos mwy o'i chorff helaeth nag yr oedden nhw yn ei guddio. Gwenai'r wraig gan ddangos dau ddant, un lled wyn ac un du.

'Bani mohwbw,' meddai Cano gan gyfeirio ati.

'O!' meddai Madog. Wrth ei gweld hi'n cael ei chario i gyfeiriad Anwawd dyma Madog yn troi at Elidir a dweud, 'Ydi hi'n mynd i'w fwyta fo, neu ei briodi o: dyna ydi'r cwestiwn.'

Yn y cyfamser roedd Anwawd yn mynd i hwyl – doedd o erioed wedi cael derbyniad fel hyn o'r blaen. Ond doedd o ddim wedi sylwi ar orymdaith y wraig fawr. Pan gyrhaeddodd hi o'i flaen, oedodd ar ganol brawddeg.

'Bani mohwbw,' meddai'r wraig gan wenu'n llydan arno, a chael ei rhoi i lawr yn dyner. Yna dechreuodd ddawnsio gan siglo ei hatyniadau helaeth. Syllodd Anwawd ar hyn gyda syndod cegagored am dipyn, ac yna ceisiodd awgrymu efo'i ddwylo ei bod hi'n mynd ymaith – er mwyn iddo fo allu mynd ymlaen â'i adrodd.

' A draig Môn,' meddai, 'mor wrol ei...'

'Anacw nogin,' meddai'r wraig.

'Rydw i'n amau fod y brodorion yn disgwyl i Anwawd fynd â hon oddi ar eu dwylo nhw,' meddai Elidir.

'Ydyn,' meddai Madog. 'Rhaid ei fod o wedi gwneud rhywbeth, neu ddweud rhywbeth i wneud iddyn nhw feddwl hynny.'

Ar hyn dyma'r wraig fawr yn stryffaglio i ben yr un garreg ag Anwawd. Gan fod Anwawd wedi yfed mwy nag a ddylai o'r ddiod frodorol doedd o ddim yn ddigon sensitif i sylweddoli beth oedd yn digwydd. Ceisiodd y wraig fawr afael ynddo gyda choflaid fel arth.

Gwthiodd Anwawd ei fol allan a rhoi hergwd i'r wraig, a syrthiodd hithau'n drwm ar ei thin. Aeth pob man yn ddistaw.

'Bani nawani Mohwbw!' meddai Cano yn syn. A dyma pawb o'r brodorion yn dechrau chwerthin. A chwarddodd y Cymry hefyd, er mwyn bod yn gwrtais. Dyma'r peth gwaethaf y gallen nhw fod wedi ei wneud gan mai un o gredoau'r brodorion hyn oedd na ddylai neb ond y nhw chwerthin ar achlysuron arbennig. Gan ddal i chwerthin, ceisiodd Cano roi dyrnod i Madog. Ond roedd hwnnw'n ddigon sobor i'w hosgoi hi.

'O 'ma, o 'ma rŵan hogiau,' gorchmynnodd Madog. A dyma'r hogiau'n gwneud ymdrech – neilltuol o flêr – i'w heglu hi. Roedden nhw'n lwcus nad oedd y brodorion fawr sobrach, ac roedd eu hymdrech nhw i erlid hyd yn oed yn flerach na'r ffoi.

Roedd criw'r gwersyll yn gorweddian o gwmpas pan welson nhw Madog a'i griw'n rhedeg tuag atyn nhw – fel yr oedden nhw'n tybio – yn hynod o ddi-glem. Yna fe welson nhw ddynion dieithr yn rhedeg ar draws ac ar hyd wrth eu hymlid. Roedden nhw'n lwcus eu bod nhw wedi cario ffrwythau a dŵr i'r llongau yn ystod y dydd, felly pan gyrhaeddodd eu cyd-forwyr, fe'u gwthiwyd nhw i'r dŵr wrth y llongau a cheisio'u cael i mewn iddyn nhw. Cael a chael oedd hi i bawb ei gael ei hun ar fwrdd llong cyn i'r brodorion gyrraedd. Ychydig ohonyn nhw oedd wedi cofio dod ag arfau efo nhw, ac roedd eu hanelu nhw, wrth daflu hynny o waywffyn oedd ganddyn nhw, yn druenus o gam. Pan oedd y llongau wedi mynd yn ddigon pell oddi wrth y lan i bawb deimlo'n ddiogel, dyma edrych yn ôl at y tywod du yno. A dyna lle'r oedd y wraig fawr i'w gweld yn eglur yn fan'no ac, ar y gwynt, cyrhaeddai cri eglur, 'Bani mohwbw! Bani mohwbw!'

# 8
# Y Llong Dywyll

**B**u Madog a'i griw'n ffodus iawn yn y cerrynt a'r gwyntoedd am ddyddiau lawer wedyn, cerrynt a gwyntoedd oedd yn eu cario i'r gorllewin, cyfeiriad yr oedd Leif yn Dun Loaghaire wedi ei awgrymu. Gan fod haearn-troi Madog yn dangos y gogledd, roedd o'n gallu gweithio allan ple'r oedd y gorllewin. Ac yna fe ddaethon nhw i ddyfroedd glas glas, eithriadol o glir, oedd yn llawn o stwff fel gwymon a lle'r oedd y cerrynt yn hynod o farwaidd. Bu'n rhaid rhwyfo bob dydd yn y môr hwn. Yn y dydd doedd pethau ddim mor ddrwg â hynny; y nos oedd yn annifyr. Taerai pawb a fu ar wyliadwraeth y nos neu a fu'n effro yn y nos eu bod yn cael y teimlad fod yna ryw bethau annymunol iawn yn y dyfroedd. Roedd Madog ei hun ar wyliadwraeth un noson loergan, dawel dawel. Ym mlaen y llong yr oedd o, a gallai weld y ddwy long arall yn glir. Dechreuodd deimlo fod yna rywbeth yn y dŵr. Edrychodd dros ochor y llong. Ymhen ysbaid o amser gwelodd ryw gip o olau ffosfforesaidd yn y dwfn, ac ymhen ysbaid arall cip eto. Syllodd yn fanwl a gweld, am eiliad, siapiau yn nyddu. 'Nadroedd!' meddai wrtho'i hun. 'Nadroedd tanllyd.' Edrychodd eto, ond cip bob hyn a hyn oedd i'w weld. Dechreuodd feddwl, 'Beth pe bai'r rhain yn dringo i'r llongau!' Aeth ias oer i lawr asgwrn ei gefn. Edrychodd ar hyd bwrdd y llong, hynny a allai weld yng ngolau'r lloer, ond doedd dim byd yn symud yno, diolch am hynny.

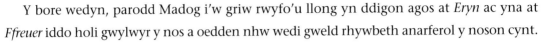

Y bore wedyn, parodd Madog i'w griw rwyfo'u llong yn ddigon agos at *Eryn* ac yna at *Ffreuer* iddo holi gwylwyr y nos a oedden nhw wedi gweld rhywbeth anarferol y noson cynt.

'Weithiau y mae yna ryw olau oeraidd yn y dŵr,' meddai un.

'Welais i ddim byd,' meddai'r llall, 'ond mae yna rywbeth sy'n fy ngwneud i'n anesmwyth.'

Dywedodd Madog wrth y dynion beth yr oedd o wedi ei weld yn y dŵr.

'Ydi nadroedd yn medru nofio?' gofynnodd un o'r morwyr.

'Mae rhai o'n pobol ni,' meddai Eric, 'yn sôn am nadroedd gwenwynig iawn mewn rhai moroedd.'

'Mae'n rhaid inni fod yn ofalus,' meddai Madog, 'a chael tri gwyliwr yn y nos ymhob llong.'

Y noson honno, penderfynodd Madog gadw gwyliadwraeth eto, gyda dau o'i griw. Roedd Ynyr a Chynon gydag eraill yn gwylio ar eu llongau nhw. Unwaith eto roedd hi'n noson braf, olau leuad, ddistaw iawn. Yna dechreuodd y cipiadau o olau ffosfforesaidd ymddangos, a'r siapiau duon yn y dŵr. Weithiau fe fydden nhw reit wrth ymyl y llongau, ond doedd dim arwydd eu bod nhw am geisio dringo i mewn. Felly y bu hi am ran helaeth o'r nos. Yna, fel yr oedd y nos yn darfod, dyma Ynyr yn plygu dros ochor ei long ac yn gwanu gwaywffon i'r môr. Cododd hi o'r dŵr yn ofalus, heb gynnig dod â hi i'r llong. Roedd rhywbeth yn gwingo'n ffyrnig ar flaen y waywffon. Wedi iddi oleuo, dyma'r morwyr ar *Eryn* yn gwneud cylch efo rhaffau a darnau o bren ar y dec. Dyma Ynyr yn codi sarff tua dwy fetr o hyd dros ochor y llong ac yn ei rhoi hi yn y cylch. Roedd ei chefn hi'n ddu a'i bol hi'n lliw melyn llachar. Roedd pawb o gwmpas yn barod am unrhyw symudiad. Ond wedi rhoi'r neidr ar y dec, er ei bod hi'n dal yn fyw, doedd hi ddim yn medru symud yn debyg i ddim.

'Neidr-fôr ydi hi,' meddai Tudwal, 'dydi hi ddim fel pe bai hi'n medru symud yn dda iawn ar le sych.'

'Mae hynny'n rhywfaint o gysur,' meddai Ynyr. 'Os na allith hi symud yn dda yn fan'ma, yna does yna fawr o siawns y medr hi ddringo i fyny ochor y llong.'

'Ydi hi'n dda i fwyta tybed?' holodd un o'r morwyr.

'Croeso iti roi cynnig arni,' meddai Tudwal, 'ond paid â disgwyl i mi fwyta dim gewyn ohoni hi.'

'Efallai dy fod di'n iawn,' cytunodd y morwr, 'beth bynnag am ei blas hi, mae hi'n sglyfaeth o beth i edrych arni.'

Lladdodd Ynyr y neidr, ac ar ôl i bawb o'r llongau eraill gael golwg arni, fe'i taflodd hi'n ôl i'r môr.

Fe ellid disgwyl i'r nosau fod dipyn bach yn well rŵan, a phawb yn gwybod nad oedd fawr o beryg i'r nadroedd ddringo i'r llongau. Ond, yn rhyfedd iawn, doedd gwybod hynny ddim yn gwneud y nosau'n llai anesmwyth. Roedd Elidir yn gwylio un noson, a'r lleuad erbyn hyn ar ei gwendid ac yn hanner llawn. Roedd y tawelwch yn drwm o'i gwmpas. Doedd gweld cipiadau o'r golau yn y dŵr ddim yn gwneud pethau'n braf, ond bellach fe wyddai beth oedd yno. Roedd yr anesmwythder hwn yn wahanol. Teimlad oedd o fel pe bai rhywun ar y môr y tu ôl iddo, yn ei wylio. Ond pan drôi ei ben doedd yna ddim byd yno. Yna clywodd sŵn isel, fel rhywun mewn poen ac yn griddfan. Am eiliad neu ddwy y parhaodd hyn. Trodd eto: dim byd. Wrth iddo droi yn ei ôl, rhyngddo a'r lleuad gwelodd siâp tywyll. Llong. Ond llong fwy na'r un o'u llongau nhw. Daeth y sŵn eto am eiliadau. Ar fwrdd y llong dywyll, yn ei blaen, roedd yna ffurf, fel dyn. Yna doedd

yna ddim byd yno. 'Welodd o ddim byd arall, a phan ddaeth bore disglair fe ddechreuodd amau a oedd o wedi gweld unrhyw beth o gwbwl.

Madog ei hun oedd y nesaf i weld y llong dywyll. Roedd y lleuad yn meinhau, a rhyw olau ariannaidd ac oeraidd dros y môr pan glywodd yntau y griddfan. Rhyngddo yntau a'r lleuad gwelodd y llong ac, yn aneglur iawn, siâp fel siâp dyn ar ei blaen. Gwelodd y siâp yn ddigon hir i'w weld yn codi ei fraich ac amneidio a gwneud arwydd arno i'w ddilyn. Yna diflannodd popeth.

Y bore wedyn parodd Madog i'r llongau rwyfo'n ddigon agos at ei gilydd iddo fedru siarad yn ddigon uchel â'r morwyr iddyn nhw ei glywed o.

'Forwyr,' meddai, 'y mae yna rywbeth rhyfedd yn y dyfroedd yma.'

Dechreuodd y morwyr anesmwytho – roedd bod ar unrhyw fôr mor bell o unlle'n ddigon o straen ynddo'i hun.

'Nid chwaneg o nadroedd?' meddai un morwr.

'Nage,' meddai Madog. 'Oes yna unrhyw un ohonoch chi wedi clywed, neu wedi gweld rhywbeth yn y nos?'

Bu tawelwch am dipyn, yna dywedodd Elidir, 'Rydw i.'

'Be?'

'Sŵn griddfan. A llong dywyll.'

Fe ellid gweld ofn a dychryn yn gafael yn y morwyr cryf a chadarn, ac ymgroesodd amryw ohonyn nhw.

'Rhywbeth arall?' holodd Madog.

'Alla i ddim bod yn siŵr,' meddai Elidir.

'Oedd y llong yn wag?'

'Nac oedd... am wn i.'

'Be welaist ti?'

'Rhywbeth fel dyn.'

Cynnwrf eto ymhlith y morwyr a chwaneg o ymgroesi.

'Dim byd arall?'

'Naddo.'

'Mae yna rywbeth rhyfedd iawn yma,' meddai Madog.

'Rhith ydi'r llong,' meddai Eric. 'Mae yna sôn am bethau fel hyn, rhithiau a synau i ddrysu dynion.'

Cynhyrfodd y morwyr eto.

'Beth allwn ni ei wneud?' medden nhw.

'Gweddïo ar Dduw,' meddai Madog. 'Rŵan, gwrandwch yn ofalus. Mae beth bynnag sydd ar y llong yma'n gwneud arwydd. Mae o am inni ei ddilyn o.'

'Rhaid inni beidio â gwneud hynny, ar unrhyw gyfrif,' meddai Eric.

'Cytuno,' meddai Madog. 'Os gwelith unrhyw un y peth yma yn amneidio, rhaid iddo ddweud wrth y gweddill ohonom ni at ba gyfeiriad y mae o'n amneidio. Mae'n rhaid i ni fynd i gyfeiriad hollol groes. Mi ddaru o amneidio neithiwr arna i, i ddilyn i'r cyfeiriad acw. 'Awn ni ddim ffor'na. Eric, defnyddia'r haearn i fynd y ffordd groes.'

A dyna a wnaethpwyd. Y noson olaf un y gwelodd neb y ffigwr du ar y llong dywyll roedd o'n dal i amneidio i un cyfeiriad. Dal i dynnu i gyfeiriad gwahanol yr oedd llongau Madog. Y diwrnod ar ôl y gweld olaf fe deimlodd y morwyr ryw dynfa yn y dyfroedd a bu'n rhaid rhwyfo'n eithriadol o egniol i beidio â mynd gyda'r lli. Roedd y dŵr i'w weld yn troelli, troelli, ac fe allen nhw glywed sio dyfroedd yn y pellter.

'Trobwll sydd yna,' meddai Eric. 'Y trobwll mwya a welodd neb erioed. Tynnwch, hogiau, tynnwch.' Bu'n ymdrech eithriadol o galed, ond yn raddol fe beidiodd y dynfa yn y dŵr.

Ymhen tridiau wedyn fe ddaethon nhw i olwg tir eto. 'Diolch i Dduw,' meddai Madog, ac offrymu gweddi.

# 9
# Infferno

**A**r ôl dod i dir roedd popeth yn iawn, ar y dechrau. Roedd yna ddigon o ffrwythau ar yr ynys hon, a digon o ddŵr – mewn pyllau. A gallodd y seiri drwsio'r llongau a naddu rhwyfau newydd o goedydd yr ynys. Roedd y morwyr wedi dechrau archwilio'r tir. Un dydd aeth Madog ag un criw i un cyfeiriad, ac Eric â chriw arall i gyfeiriad gwahanol. Gadawyd hanner dwsin o ddynion ar y lan wrth ymyl y llongau i gadw golwg ar bethau. Un o'r rhain oedd Anwawd.

Ar ôl treulio peth amser yn tacluso gêr y llongau a sicrhau fod y gwaith oedd i'w wneud ar yr hwyliau wedi cael ei gwblhau, bu'r morwyr yn chwarae gêm yr oedden nhw wedi ei dyfeisio, sef taflu carreg weddol fechan ar y traeth, ac yna ceisio gweld pwy a allai daflu cerrig mwy yn nesaf ati. Wedi blino ar hyn dechreuodd hwn a'r llall grwydro ar lan y môr, ond gan gadw o fewn golwg i'r llongau. Fe ddaethon nhw o hyd i glwt o dir oedd yn dyfiant gwyrdd iawn drosto.

'Os gwn i a ydi'r pethau gwyrdd yma'n dda i'w bwyta,' meddai un morwr.

'Bydd yn ofalus,' meddai Anwawd, 'rhag ofn eu bod nhw'n wenwynig.'

'Mi dria i fymryn bach i ddechrau,' meddai'r morwr.

'Mymryn bach, dealla,' meddai Anwawd.

Torrodd y morwr ddeilen a rhoi'r mymryn lleiaf yn ei geg.

'Mae'r blas yn felys,' meddai, 'melys iawn.'

'Paid â blasu dim mwy,' meddai Anwawd. 'Mi arhoswn ni i weld be ddigwyddith.'

Yr hyn a ddigwyddodd wedyn oedd fod y morwr wedi gorwedd i lawr. Ymhen tipyn lledaenodd gwên wirion dros ei wyneb.

'Sut wyt ti'n teimlo?' gofynnodd Anwawd.

'Fel,' meddai yntau, 'fel…'

'Fel be?'

'Fel angel.'

'Angel? Be wyt ti'n ei feddwl – "angel"?' holodd Anwawd.

'Fry yn y nen, uwchben y byd,' meddai'r morwr yn freuddwydiol. 'Mewn gwlad bob lliwiau. Rydw i… rydw i…'

'Rwyt ti'n be?'

'Yn braf…'

'Does dim synnwyr i'w gael gan hwn,' meddai Anwawd.

Erbyn hyn roedd y morwyr eraill wedi profi'r dail ac roedden hwythau hefyd yn dechrau siarad yn wirion.

'Tyrd yma, cariad,' meddai un.

'Pwy?' gofynnodd Anwawd.

'Ond y ferch yma sy'n dod ata i,' atebodd hwnnw.

'Y ferch sy'n dod atat ti! A lle mae hi?' gofynnodd Anwawd yn ddiamynedd.

'Yn fan'ma siŵr iawn,' atebodd hwnnw. 'Weli di mo'ni hi, yn gwisgo'r haul, yn aur ac yn dyner.'

Synnodd Anwawd yn fawr gan nad oedd o erioed wedi clywed y brawd hwn yn dweud dim ond brawddegau byrion iawn o'r blaen, a'r rheini mor ddiddychymyg â brws llawr. Roedd o'n teimlo braidd fod y brawd yn trampio hyd ei diriogaeth o, ac yn dechrau troi'n farddonol.

'Tyrd imi weld,' meddai Anwawd, a chymryd joe go sylweddol o ddeilen.

Pan gyrhaeddodd y ddau griw'n eu holau o chwilio'r ynys erbyn diwedd y prynhawn fe ddaethon nhw ar draws y gwylwyr yn gorwedd yn effro ac yn gwenu fel giatiau, ac ambell un yn ymdrechu i ganu, ond heb fawr o gamp.

'Be sy'n bod ar y ffyliaid yma?' meddai Madog.

'Maen nhw'n edrych fel pe baen nhw wedi meddwi,' meddai Eric.

'Meddwi ar be?' holodd Madog.

'Ar lili wen y dolydd, ar rosyn y dyffrynnoedd gloyw. Tyrd efo fi, tyrd cariad bach,' meddai Anwawd, dan deimlad.

'Efo pwy mae ein bardd ni'n siarad?' holodd Tudwal.

'Efo rhywun sy yn ei freuddwyd,' meddai Elidir.

'Ond mae ei lygaid o'n agored,' meddai Tudwal.

'Er hynny, dydi o ddim efo ni,' meddai Elidir. 'Mae'n rhaid fod y cwbwl ohonyn nhw wedi yfed rhywbeth, neu wedi bwyta rhywbeth.'

'Mi gym'ra i y darn mwya yna o'r mochyn,' meddai un arall o'r breuddwydwyr. 'A llenwa'r cwpan yma efo'r gwin coch.' Yna ychwanegodd, 'Nid y gwin yna, y twpsyn, ond y llall.'

'Mae hyn y fater difrifol,' meddai Madog. 'Beth pe bai rhywun wedi ymosod ar ein llongau ni, a'r rhain yn fan'ma'n breuddwydio!'

'Yn hollol,' meddai Eric. 'Ond mi fydd yn rhaid inni aros iddyn nhw ddod atyn eu hunain cyn gwneud dim.'

'Cariwch nhw draw i'r gwersyll,' gorchmynnodd Madog.

Roedd hi'n ddiwrnod wedyn ar y breuddwydwyr yn deffro. Y cyfan y gallen nhw ddweud oedd eu bod nhw wedi bwyta ychydig ddail, fod blas y dail hynny'n felys, a'u bod nhw wedi bod yn rhywle braf iawn.

'Dim ychwaneg o hyn,' meddai Madog. 'Mi arhoswn ni i gyd yma heddiw i gadw golwg ar y rhain.'

Erbyn canol dydd dyma'r rhai a fu'n breuddwydio yn dechrau anesmwytho, ac erfyn am ddim ond mymryn bach eto o'r dail.

'Na,' meddai Madog.

Wedyn dyma nhw'n dechrau ymddwyn fel pe baen nhw'n arswydo rhag rhywbeth.

'Gadwch imi, gadwch imi.' Dyna oedd eu gwaedd.

'Mi geisia i gael gair efo Anwawd,' meddai Madog. 'Fo ydi'r calla ohonyn nhw – wel, i fod, beth bynnag.'

'Be sy?' holodd.

'Maen nhw'n dod,' meddai Anwawd, â'i lygaid yn llawn dychryn.

'Pwy sy'n dod?' holodd Madog.

'O'r ogofeydd tywyll,' meddai Anwawd. 'Mi alla i ei gweld hi.'

'Pwy ydi hi?' gofynnodd Madog.

'Y ferch honno welais i ddoe.'

'Ond roeddet ti'n hoffi honno.'

'Mae hi yn newid,' meddai Anwawd. 'Mae hi'n troi… yn troi'n sarff. Mae ei choesau hi wedi clymu'n un, ac mae hi wedi syrthio ar y llawr. Mae hi'n 'nyddu yno ac yn troi'n wyrdd, ac yn gen i gyd. Mae ei hwyneb hi yn mynd yn big, ac yn cael ei wasgu o'i siâp.

A'i llygaid hi'n troi'n goch. Mae hi wedi 'ngweld i… ac yn llithro tuag ata i gan droelli ei chorff tew ar hyd y llawr. Mae ei dannedd hi'n diferu o stwff melyn… Gwenwyn ydi o. Mae hi'n dod, mae hi'n dod.'

Dechreuodd Anwawd ymdrechu'n lloerig i redeg ymaith. Bu'n rhaid cael tri dyn i'w ddal i lawr. Y fo oedd y gwaethaf, ond erbyn hyn roedd y breuddwydwyr eraill hefyd yn peri trafferth.

'Mae gen i syniad,' meddai Elidir. 'Efallai pe baem ni'n mynd i nôl rhai o'r dail yna i'r lle'r oedden nhw ddoe a rhoi mwy ohonyn nhw iddyn nhw y buasen nhw'n tawelu.'

'Ond be wedyn?' gofynnodd Madog.

'Nid be wedyn ydi'r mater pwysica,' meddai Eric, 'ond be rŵan. Mae'n rhaid inni wneud rhywbeth.'

'Dos i nôl rhai 'te,' meddai Madog wrth Elidir. 'Ychydig bach.'

'Fu Elidir fawr o dro'n nôl ychydig ddail. Rhoddwyd mymryn bach i bob un o'r breuddwydwyr, ac o fewn rhai munudau roedden nhw wedi tawelu ac yn

gwenu'r un mor wirion ag oedden nhw'r diwrnod cynt.

'Mae'r dail yma'n wirioneddol beryglus,' meddai Madog. 'Maen nhw'n codi breuddwydion hyfryd iawn, ac wedyn hunllefau ofnadwy. Rŵan, does yna neb, neb, i flasu dim o'r dail yma. Mae gennym ni ddigon o drafferth yn barod efo'r chwech yma. Mae'n rhaid inni drio'u cael nhw atyn eu hunain – heb roi chwaneg o'r dail yma iddyn nhw.'

Erbyn y nos roedd y chwe breuddwydiwr yn saith gwaeth nag yn ystod y bore. Roedden nhw'n gweiddi'n wyllt weithiau, dro arall yn wylo'n ofnus, a thro arall yn bygwth pawb o'u cwmpas.

'Mae yna ddyn mawr, mawr yn dod,' gwaeddai Anwawd. 'Mae o'n dechrau newid. Mae yna gyrn yn tyfu o'i ben o. Mae'i wyneb o'n mynd yn fwy ac yn fwy ac yn troi yn ben tarw. Hanner dyn a hanner tarw. Mae o'n crafu'r llawr efo'i draed ôl ac yn dechrau symud tuag ata i. Mae o'n dod, yn dod.' Sgrechiai Anwawd wedyn a symud fel dyn yn cael ei gornio gan darw. Yna ymddangosai fel pe bai wedi llewygu, neu fel pe bai'n mynd i farw. Cynhyrfai wedyn o'r newydd a gweiddi, 'Mae'r adar mawr yn dod.'

'Rhaid inni roi mwy o'r dail iddyn nhw,' meddai Elidir.

'Na,' meddai Madog. 'Maen nhw'n mynd yn waeth ar ôl ychydig amser. Rhaid inni adael iddyn nhw, a gweld be ddigwyddith.'

'Crafangau crafangau,' dechreuodd Anwawd weiddi gan edrych i'r awyr a chyfeirio at rywbeth. 'Eryr a llew yn yr awyr, eryr sydd hefyd yn llew. Mae o'n dod.'

Ymddygai'n union fel pe bai creadur rheibus wedi neidio arno, gan sgrechian nes ei fod o'n gryg. Yna wylai fel pe bai'r byd ar ben.

'Y coed, y coed,' gwaeddai un arall o'r breuddwydwyr. 'Mae yna stlumod gymaint â chathod yn tyfu ar y coed. Mae'u cegau nhw'n waed i gyd, yn waed i gyd. Maen nhw'n disgyn fel ffrwythau aeddfed ac yn dechrau hedfan. Maen nhw'n dod, yn dod. Gwyliwch. Dyma nhw.' Ceisiai gadw rhywbeth oddi wrtho, yna cydiai yn ei wddw a sgrechian.

'Maen nhw'n cael eu lladd lawer gwaith drosodd yn eu hunllefau,' meddai Elidir.

'Ydyn, fel pe baen nhw yn uffern,' meddai Madog, 'yn cael eu lladd drosodd a throsodd, ac yn methu marw.'

'Dyma'r Infferno y soniodd Leif amdano,' meddai Eric.

'Ydyn' nhw wedi eu colli am byth ydi'r cwestiwn,' meddai Elidir.

'Dyna oedd yn mynd trwy 'meddwl innau,' meddai Madog. 'Mi fydd yn rhaid inni eu rhwymo nhw a gweld be ddigwyddith.'

A dyna a wnaed.

Noson anesmwyth fu hi. Bob hyn a hyn byddai'r breuddwydwyr yn gweiddi a griddfan, wedyn yn sgrechian gan symud eu cyrff yn egr i geisio dod yn rhydd a ffoi. Ond does neb yn gallu ffoi rhag ei hunllefau heb ddeffro, a doedd y rhain ddim yn gallu deffro. Yn y bore roedden nhw'n chwys diferol ac roedd yna olion cochion ar eu breichiau a'u coesau lle'r oedden nhw wedi eu clymu. Ond erbyn hyn roedden nhw'n dawelach. Ac yng ngwres yr haul mi gysgodd y cwbwl ohonyn nhw. Wedyn dyma nhw'n deffro o un i un, ac yn methu deall pam yr oedden nhw wedi eu clymu. Doedden nhw'n cofio dim byd am yr hyn a ddigwyddodd.

'Eithaf gwaith,' meddai Madog am hynny. 'Pe baen nhw'n cofio, mi allen nhw fynd o'u cof.' Yna ychwanegodd, 'Mae'n well i ni fynd o'ma. Mae hi'n beryclach yma nag oedd neb ohonom ni wedi meddwl.'

# 10
# Y Tir Mawr

Fu hi ddim yn hir cyn iddyn nhw ddod allan o'r 'môr o wymon', fel roedd y morwyr wedi dod i'w alw. Ac fe fuon nhw'n ffodus o gael gwynt teg yn chwythu o'r dwyrain, gwynt oedd yn eu gyrru tua'r gorllewin. Un bore glaniodd gwylan ar frig mast yr *Eryn*, un nad oedden nhw wedi gweld ei thebyg hi o'r blaen. Roedd haid ohonyn nhw o gwmpas y tair llong y diwrnod wedyn. 'Mae'r rhain i gyd yn arwyddion inni,' meddai Madog. 'Mae yna dir yn rhywle tua'r gorllewin.'

Y noson honno gwaeddodd y gwyliwr ar *Gwennan Bendragon*, 'Golau!' Er bod y gwyliwr yn torri ar gwsg y morwyr, roedden nhw'n falch o gael eu deffro.

'Golau tân ydi o?' holodd Madog.

'Mae'n edrych yn debyg iawn,' meddai Eric.

'Pwy gyneuodd hwn'na tybed?'

'Os mynn Duw, mi gawn ni wybod cyn hir,' meddai Eric.

Y bore canlynol roedd y morwyr yn gyffro i gyd, ac yn gallu arogli rhywbeth ffres yn lle'r aroglau heli yr oedden nhw wedi hen flino arno fo. Ac yna dyma wyrddni'n ymddangos o'r môr yn y pellter. 'Tir! Tir!' gwaeddodd y gwylwyr o'r tair llong. 'Hwrê! Hwrê!' gwaeddodd pawb. Fel yr oedden nhw'n dod yn nes ac yn nes, dyma dynnu'r hwyliau i lawr, a rhwyfo'r metrau olaf. Ac yna dyma waelod y llong gyntaf, *Gwennan Bendragon,* yn rhygnu'n ysgafn ar draeth tywodlyd, a Madog yn neidio i'r môr ac yn cerdded drwy'r ychydig fetrau i'r lan. Wedi cyrraedd dyma fo'n penlinio, yn cusanu'r tywod, ac yn offrymu gweddi o ddiolch i Dduw, *'Gloria Patri, et Filio, et Spiritu Sancto.'* ('Gogoniant i'r Tad, a'r Mab, a'r Ysbryd Glân.') Fu morwyr y tair llong fawr o dro'n ei ddilyn. Roedden nhw wedi dod i dir: doedd yna ddim erchwyn i'r byd!

Y dasg gyntaf, fel bob amser ar ôl cyrraedd tir, oedd sicrhau'r llongau, a gadael gwylwyr ar y lan efo nhw. Yna aeth dau griw i gael golwg ar y tir, gan gerdded yn ansad fel y bydd morwyr sydd wedi treulio misoedd ar y môr. Fe ddaethon nhw o hyd i ffrydiau o ddŵr glân. Wedi llenwi'r bagiau croen efo dŵr, dyma nhw'n cuddio'r rheini ac yn mentro'n araf a phwyllog iawn i goedwig. Fe welson nhw garw, ond roedd o wedi diflannu cyn i neb roi saeth ar ei fwa. Ond fe fuon nhw'n fwy lwcus efo cwningod gan eu bod nhw mor hawdd eu dal – fe ddaliason nhw tua deugain. Fe fuon nhw hefyd yn hel aeron a chnau cyn troi'n ôl i godi eu bagiau dŵr a'i gwneud hi am lan y môr.

Erbyn iddyn nhw gyrraedd yno roedd y gwylwyr wedi cynnau tân – trwy rwbio coed yn ei gilydd ac wedyn gynnau gwellt crin a choed. Fe gafwyd gwledd i'w chofio y noson honno, a phawb yn cael blas arbennig ar gig a ffrwythau ffres. Daethpwyd â'r cynfasau oddi ar y llongau er mwyn gwneud pebyll ohonyn nhw, ond roedd yn well gan y rhan fwyaf gysgu dan y sêr na bod yn oglau'r cynfasau a oedd yn llawn o heli.

Roedd y bore cyntaf ar y tir newydd yn fore braf, cynnes. Doedd y gwylwyr ddim wedi gweld dim byd anarferol yn ystod y nos. Ymolchi, ymolchi mewn dŵr croyw, dyna oedd ar fryd pawb. Ac ar ôl dewis gwylwyr, i ymolchi yr aeth y gweddill. Roedd rhai o'r criw a

fu'n chwilio'r tir y diwrnod cynt am greu argae ar un o'r ffrydiau er mwyn cronni dŵr yn llyn, ond roedd eraill am fynd i ddilyn un o'r ffrydiau mwyaf i edrych a oedd yna byllau. Penderfynu mynd i chwilio am byllau fu hi. Ac, yn wir, ar ôl cerdded am hanner milltir dyma nhw'n taro ar lyn clir, dwfn a digonedd o le ynddo fo. Neidio i'r dŵr yn eu dillad a wnaeth pawb, ac wedi bod yno'n sblasio a chadw reiad am sbel dod allan a thynnu eu dillad a'u gosod nhw i sychu ar lwyni, a mynd yn eu holau i'r dŵr.

Ar ôl bod yno am awr go dda dyma ddod allan, a mynd i chwilio am eu dillad.

'Lle mae 'nghrys i?' gwaeddodd un morwr.

'A 'nhrywsus innau?' meddai un arall.

'Mae yna ryw gythraul wedi dwyn fy sgidia i,' gwaeddodd un arall.

Gwisgodd y rhan fwyaf amdanynt, yn weddol sydyn. Gan fod pawb wedi bod yn y dŵr, doedd dim posib fod rhai o'r morwyr yn chwarae triciau ar y gweddill ohonyn nhw. Felly roedd pawb yn wyliadwrus iawn: roedd rhywun neu rywrai dieithr o gwmpas.

'Mae'n well inni fynd yn ein holau i'r gwersyll,' meddai Madog. 'Wyddom ni ddim be allai fod yn cuddio yn y coedydd yma.'

'Rhywun yn gwisgo fy nghrys i!' meddai un morwr.

'A 'nhrywsus innau!' meddai un arall.

Ciliodd y criw i gyd yn ofalus, gan gadw golwg tuag yn ôl drwy'r adeg. Ond welson nhw ddim byd.

Wedi cyrraedd y gwersyll a dweud beth oedd wedi digwydd, dywedodd y gwylwyr na welson nhw ddim byd.

'Mi ddyblwn ni'r gwylwyr heno,' meddai Madog, 'ac mi lwythwn ni fwyd a diod ar y llongau, rhag ofn y bydd yn rhaid inni ddianc.'

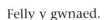

Felly y gwnaed.

Yn ystod y nos gwelodd y gwylwyr olau beth pellter o lan y môr, sef golau tanau, fel yr un a welson nhw o'r môr. Fe ddaru'r gwylwyr ddeffro pawb, ond ddigwyddodd yna ddim byd.

'Mi arhoswn ni o gwmpas y gwersyll 'ma heddiw,' meddai Madog.

'Rydw i'n ddigon bodlon i fynd â chriw i edrych be welwn ni,' meddai Tudwal.

'Mi a' innau hefyd,' meddai Cynon.

'Na, gwell peidio,' meddai Madog.

Treuliodd y morwyr y diwrnod yn nofio, chwarae taflu gwaywffyn, ac ymarfer â'u cleddyfau ar y traeth. Ond roedd gwylwyr yn cadw golwg ar y tir a'r môr. Tua chanol dydd daeth y gwylwyr o ochor y tir i ganol y gwersyll. Fe wnaethon nhw hynny heb gyffro, a heb ddangos dim brys.

'Mae yna rywrai ar y bryn,' meddai un gwyliwr yn dawel wrth Madog.

'Dos a dweud wrth bawb,' meddai yntau, 'ond dywed wrthyn nhw am beidio â chyffroi ond cymryd arnyn eu bod nhw'n dal ati efo'u gweithgareddau.'

Edrychodd Madog i gyfeiriad y bryn. Gallai weld criw o ryw ugain yno, a gallai weld eu bod nhw wedi eu gwisgo'n lliwgar. Erbyn hyn roedd pawb o'r morwyr yn gwybod fod yna rai dieithr yn eu gwylio, heb wneud unrhyw ymdrech i ymguddio. Er gwaethaf gorchymyn Madog, arafodd y gweithgareddau, a safai pawb yn edrych i fyny at y bryn.

'Rydw i am fynd draw,' meddai Madog.

'Mi ddo innau hefyd,' meddai Eric.

'Na,' meddai Madog. 'Mi a' i fy hun. Os digwyddith yna rywbeth i mi, ti fydd yn gyfrifol am y criw. Byddwch yn barod i redeg am y cychod.'

'Mi safwn ni ac ymladd,' meddai Tudwal.

'Gwell peidio,' meddai Madog.

A dechreuodd gerdded ar draws y traeth tuag at y bryn. Cerddai'n araf ac yr oedd yn amlwg nad oedd ganddo arfau.

Fel yr oedd yn nesu at y tir glas a ddôi i lawr i'r traeth, dyma un o'r rhai ar y bryn yn dechrau cerdded i lawr i'w gyfarfod. Gwelai Madog ŵr ifanc, tal a nerthol. Roedd lliw ei groen yn dywyll efo rhyw wawr goch iddo. Ar draws ei dalcen roedd llinell o liw coch, ac ar ei ddwy foch linell o liw du. Roedd ei wallt yn drwchus, yn dywyll iawn, ac wedi ei blethu efo hesg neu fwsog, ac ynddo roedd tair pluen drawiadol. Gwisgai rywbeth tebyg i ffedog o groen carw, hyd y gallai Madog weld, ac ar ei wregys roedd yna ddisgiau o fetel gloyw. Doedd ganddo ddim crys. Doedd ganddo ddim arfau ychwaith, achos fe ledodd ei freichiau fel yr oedd o'n nesu at Madog i ddangos hynny. Cododd Madog ei freichiau yntau i ddangos nad oedd ganddo yntau arfau ychwaith.

Wedi iddo gyrraedd at Madog, cododd ei law dde efo'i chledr tuag ato a dweud, 'Haw!'

Gwnaeth Madog yr un peth, a dweud, 'Haw!' Yna cyfeiriodd Madog at y môr, a dweud y gair, 'Taith.'

'Taith,' meddai'r gŵr ifanc, ag acen berffaith, a chyfeirio at y môr. Yna cyfeiriodd at y tir, a dweud, 'Tjicî,' (a olygai 'cartref').

'Tjicî,' meddai Madog yntau, yr un mor berffaith ei acen. Yna cyfeiriodd ato'i hun a dweud, 'Madog.'

Pwyntiodd y gŵr ifanc ato a dweud, 'Madog.' Ac yna cyfeiriodd ato'i hun a dweud, 'Isticáti,' (a olygai 'un o liw yr haul').

67

Cyfeiriodd Madog ato yntau a dweud, 'Isticáti.' Yna daliodd Madog ei ddwy law allan, eu codi i gyfeiriad y bryn, a dod â nhw at ei gilydd. Yna cyfeiriodd at ei wersyll a dweud, 'Cymry.' Deallodd Isticáti yn syth, a gwaeddodd ychydig eiriau. Daeth ugain o wŷr i lawr, pob un ohonyn nhw'n cario arfau tebyg i gyllyll. Cyfeiriodd Isticáti atyn nhw a dweud, 'Calwsa.' Yna dechreuodd Madog ac Isticáti gerdded gyda'i gilydd i lawr i'r gwersyll. Fel yr oedden nhw'n dynesu gwaeddodd Madog, 'Rhowch eich arfau i lawr.' Fe wnaethon hwythau hynny, er dipyn bach yn groes i'r graen. Er nad oedd wyneb Isticáti'n cyfleu llawer, teimlai Madog ei fod wedi ei blesio.

Ar ôl cyrraedd y gwersyll, dywedodd Madog wrth ei ddynion, 'Gwnewch fel hyn,' gan ddal ei freichiau allan. Wrth weld y morwyr yn gwneud hynny, rhoddodd gwŷr Isticáti eu harfau hwythau i lawr, a gwneud yr un arwydd. Aeth Madog â nhw at y llongau. Roedden nhw'n dangos diddordeb mawr. Yna galwodd Isticáti ar un o'i wŷr. Daeth hwnnw ymlaen a thynnu corn fel un buwch o'i wregys a chwythu iddo gan wneud sŵn uchel. Cyfeiriodd Isticáti at y môr, ac ymhen ychydig fe welen nhw ddau gwch, y naill a'r llall wedi ei naddu o foncyff coeden (sef 'canŵs'), a thri dyn ymhob un ohonyn nhw, yn ymddangos o'r ochor arall i drwyn o dir ac yn nesu atyn nhw. Glaniodd y rheini, a bu dynion Madog a dynion Isticáti'n archwilio ac edmygu llongau ei gilydd, gan wneud eu hunain yn lled ddealladwy trwy arwyddion.

'Dechreuwch rostio cwningod,' meddai Madog wrth ddau o'r morwyr. 'A chwithau,' meddai wrth ddau arall, 'dowch ag aeron a ffrwythau yma.'

Wrth weld y paratoadau hyn, dyma Isticáti'n dweud rhywbeth wrth ei wŷr a dyma ddau ohonyn hwythau'n mynd at y cychod a dod â haldiad o bysgod braf oddi yno. Dyma nhw'n eu rhoi nhw i'r ddau gogydd. Roedd pawb o'r Calwsa'n cymryd diddordeb

mawr yn y coginio ac yn gwneud sylwadau aml ymhlith ei gilydd, a dangos syndod a rhyfeddod bob hyn-a-hyn.

Cyn i bawb eistedd, yn un cylch mawr, dywedodd Isticáti rywbeth wrth un o'i wŷr a rhedodd yntau'n gyflym iawn i ben draw'r traeth ac i fyny'r bryn. Daeth yn ei ôl ac un arall yn ei ganlyn. Roedd hwnnw'n gwisgo'r trywsus a ladratawyd y diwrnod cynt – am ei ben! Roedd yr esgidiau am ei draed, ond yr oedd wedi ceisio stwffio ei goesau i lewys y crys ac yn ei wisgo fel trywsus. Wrth ei weld yn dod dechreuodd pawb chwerthin.

Yna roedd y bwyd yn barod, ac fe fu gwledd gyfeillgar yno ar y traeth yn y wlad ddieithr.

# 11
# Pobol y Wlad

**F**e arhosodd Isticáti a'i wŷr yn y gwersyll y noson honno. Yna, trwy arwyddion, dangosodd Isticáti fod arno eisiau i Madog a'i forwyr ddod gydag o. Arwyddodd Madog ei fod yn bryderus am y llongau. Yr hyn a ddigwyddodd wedyn oedd fod gwŷr Isticáti wedi nôl boncyffion coed, a chyda help y Cymry, wedi rowlio eu llongau nhw ar y boncyffion i fyny'r traeth – hyn, ar ôl dadlwytho'r balast a'i gadw mewn man arbennig. Yna fe ddechreuodd y Calwsa guddio'r llongau efo tyfiant nes nad oedd yna ddim o'u hôl.

Ar ôl gorffen y gwaith hwn, a gymerodd gryn amser, fe aeth Madog a'i griw efo Isticáti a'i wŷr. Fe gerddason nhw am awr neu well. Yna fe ddaethon nhw i dir agored ynghanol coed tew wrth droed bryn gweddol uchel, a'i gopa'n wastad, heb unrhyw goed arno – tân ar ben y bryn hwn yr oedd y morwyr wedi ei weld o'u cychod: tân y brodorion i berarogli dillad a gyrru chwilod coch ohonyn nhw oedd hwnnw. Yn y tir agored roedd yna nifer sylweddol o adeiladau o goed a chrwyn, wedi eu codi uwchben lefel y ddaear, ac efo lloriau coed ynddyn nhw. Fel yr oedd Madog a'i forwyr yn cyrraedd daeth pawb allan i syllu arnyn nhw a rhyfeddu. Y noson honno bu gwledd fawr.

Pan oedd y dynion i gyd yn eistedd yn gylch ar gyfer y wledd, cododd Isticáti ei

70

ddwylo i'r awyr a llefaru geiriau – o weddi, fel yr oedd hi'n amlwg i'r Cymry. Yna, o un o'r cabanau, daeth gŵr allan, yn lliwiau i gyd. Roedd ganddo ffedog o groen carw, penwisg o lawer iawn o blu, ac roedd ei gorff wedi ei beintio â llinellau hir o goch ac ambr, ac roedd un llinell ddu i lawr ei drwyn. Cerddodd i'r cylch o ddynion yn araf ac urddasol iawn, a sefyll yn y canol. 'Idi Shi,' (a olygai 'doeth iawn' yn iaith y Calwsa) meddai Isticáti gan gyfeirio ato.

'Idi Shi?' holodd Madog.

Nodiodd Isticáti a dweud eto, 'Idi Shi.'

Gallai Madog weld amryw o'r morwyr â'u dwylo wrth eu cegau i guddio eu gwenau – am eu bod yn cofio'r 'Idi Shi' yn llys Owain Gwynedd.

'Be ddwedodd o?' holodd Anwawd, a oedd yn eistedd wrth ochor Madog, ac wedi cario ei delyn fechan gydag o.

'Idi Shi,' meddai Madog.

'Idi Shi! Wel 'tawn i'n glem. Pwy fuasai'n meddwl fod yr hen gyfaill wedi cyrraedd yma o'n blaenau ni'n 'te!' meddai Anwawd. Yna ychwanegodd, 'Mae hwn yn edrych yr un mor wirion â'n Hidi Shi ni.'

'Ust,' meddai Madog ac amneidio arno i fod yn ddistaw.

Ond roedd Idi Shi wedi clywed, ac wedi casglu fod yna bethau'n cael eu dweud amdano fo. Daeth draw at Anwawd, hel llond llaw o lwch o god fechan wrth ei wregys a chwythu hwnnw i wyneb y bardd.

'Yli di, Idi Shi,' meddai Anwawd gan hanner codi, nes iddo gael ei rwystro gan Madog.

'Yli di!' meddai Idi Shi, 'Yli di!' A dechreuodd wenu'n llydan ar Anwawd. (Yr hyn oedd wedi digwydd oedd fod Anwawd, heb yn wybod, wedi dweud y ddau air 'Yli di', a olygai

71

– yn iaith y Calwsa – 'ardderchocaf un'.) Nodiodd Isticáti ei gymeradwyaeth. Aeth Idi Shi yn ei ôl i ganol y cylch gan ddweud, 'Cilo-citá ia,' (a olygai 'Mae'r un diarth-ei-iaith yn un da'), a chyfeirio at Anwawd.

Yna cafwyd gwledd, gyda chig carw a llysiau, a chryn amrywiaeth o bysgod, a diod glir, felys, wedi ei gweithio o fêl. Ar ôl y bwyta, estynnodd Idi Shi ryw fath o bibell o sach oedd ganddo, a'i llenwi'n seremoniol efo deiliach. Aeth â hi i Isticáti gan ei hestyn iddo ac adrodd llith hir. Derbyniodd yntau hi, a dweud ychydig eiriau. Yna rhoddodd hi yn ei geg, ac er braw a dychryn i'r Cymry, aeth Idi Shi i nôl brigyn o'r tân, dod ag o at Isticáti, a'i roi wrth bowlen y bibell. Sugnodd yntau nes bod mwg yn dod allan o'i geg a'i ffroenau.

'Mae o am losgi ei bennaeth,' meddai Anwawd.

'Efallai y dylem ni fod yn barod rhag i ninnau gael ein llosgi,' meddai Tudwal, gan chwilio'n llechwraidd am bren neu garreg i'w amddiffyn ei hun.

'Nid ei losgi o y mae'r cyfaill,' meddai Elidir. 'Mae yma ryw fath o ddefod.'

'Rwyt ti'n iawn,' meddai Madog. 'Peidiwch â chyffroi,' meddai wrth ei ddynion, 'ac, yn sicir,' meddai wrth Tudwal, 'paid â dangos unrhyw fwriad i ymladd.'

Ar ôl sugno mwg am dipyn a'i chwythu allan, dyma Isticáti yn estyn y bibell i Madog. Gafaelodd yntau yn ei choes hir a'i rhoi yn ei geg. Sugnodd a llenwodd ei geg â mwg cryf ei flas. Gwnaeth y camgymeriad mawr o'i lyncu. Bu bron iddo â thagu, a dechreuodd besychu'n boenus. Trodd ei lygaid yn goch a daeth dagrau iddyn nhw.

'Mae o wedi llosgi ei geg,' meddai Anwawd, 'ac wedi llyncu tân.'

'Mae o wedi llyncu mwg,' meddai Elidir wrth Anwawd. Yna trodd at Madog a dweud, 'Chwytha'r mwg allan.'

Cymerodd Isticáti y bibell oddi arno, sugno mwg, ac yna gwneud yn glir ei fod yn ei

chwythu allan. Wedyn estynnodd y bibell unwaith eto i Madog. Y tro hwn sugnodd o'r mwg yn ofalus iawn, a chwythodd o allan yn syth. Gwnaeth hyn nifer o weithiau. Yna cymerodd Idi Shi y bibell a'i hestyn i Anwawd. Sugnodd yntau'r mwg yn dra gofalus a'i chwythu allan yn un cwmwl.

'Dydi hyn ddim hanner mor ddrwg ag y mae o'n edrych,' meddai, a swalio eto. Roedd yn dechrau mwynhau ei hun pan gymerodd Idi Shi y bibell a mynd â hi i Elidir. Felly yr estynnwyd y bibell o un i un yn y cylch.

Roedd pawb yn tueddu i yfed o'r ddiod fêl ar ôl y smocio. Yfodd Anwawd ac Idi Shi braidd yn helaeth o'r ddiod hon, ac erbyn diwedd y wledd aeth y ddau i sefyll ynghanol y cylch o fwytawyr a chanu a datganu yn eu tro. Roedd perfformiadau Anwawd, a oedd yn cyfeilio iddo'i hun ar ei delyn, yn cael derbyniad rhagorol, ac roedd hynny'n plesio'r bardd yn fawr. Erbyn diwedd y noson roedd o ac Idi Shi yn gymaint o lawiau nes bod Anwawd wedi gadael iddo gael tro ar ei delyn – a doedd neb yn cofio i hynny ddigwydd o'r blaen.

Dyma oedd dechrau y cyd-fyw a fu rhwng y Cymry a'r Calwsa. Fe gododd y Cymry gytiau iddyn nhw'u hunain – gyda help y Calwsa, a dechrau dysgu eu hiaith a'u ffordd o fyw.

Roedd y Calwsa'n bysgotwyr di-ail, ac fe aen nhw allan i'r môr mewn canŵs, gan eu trafod gyda medr eithriadol. Ond roeddwn nhw, hefyd, yn gallu dal pysgod mewn ffordd arbennig iawn. Roedden nhw wedi tyllu pyllau mawr ar un traeth fel bod y môr yn llifo iddyn nhw. Wedyn fe aen nhw allan i'r môr, a chyda rhwydi oedd yn ddigon mawr i gyrraedd o un canŵ i'r llall dros bellter o ddeng metr ar hugain, a chan ddefnyddio amryw ganŵs fel hyn, fe fydden nhw'n llusgo'r rhwydi yn y môr gan hel pysgod i mewn i'r pyllau. Yna roedden nhw'n cau'r ffordd allan o'r pyllau i'r môr ac yn dal y pysgod, yn ôl y galw, hyd nes y byddai'r pyllau'n wag; yna fe fydden nhw'n agor y pyllau eto ac yn dal ychwaneg yn yr un ffordd. Byddai'r Cymry'n rhyfeddu at y defnydd a wnâi'r Calwsa o gregyn ac esgyrn pysgod, yn enwedig er mwyn gwneud pethau fel clustdlysau, breichledau, a thorchau.

Fe ddysgodd y Cymry ffordd y Calwsa o hela hefyd. Doedd hynny ddim yn anodd iawn, gan eu bod hwythau wedi hen arfer â saethu efo bwa, a gosod rhwydi. Dysgu sut yr oedd y Calwsa'n dilyn trywydd anifeiliaid nad oedden nhw'n gyfarwydd â nhw oedd y peth pwysicaf. Fe ddysgason nhw adnabod sŵn adar ac anifeiliaid, adnabod rhoch y

baedd ('swcf'), cri'r eryr ('lwmhe') yr oedd pob pennaeth yn awyddus i gael ei blu i'w gwisgo, a thrydar marwol y neidr-grecian ('cecto-racracracat').

Un diwrnod roedd Madog allan yn hela efo Isticáti. Roedden nhw wedi crwydro ymhell iawn o'u gwersyll pan ddaethon nhw ar draws chwech o frodorion o lwyth arall. Cyfarchodd Isticáti y chwech yn ei iaith ei hun, a oedd yn ddigon agos at eu hiaith nhw iddynt ddeall ei gilydd. Roedden nhw'n edrych yn fanwl iawn ar Madog, ond wedi cael peth o'i hanes, ac esboniad ar liw golau ei groen a'i wallt, a'i lygaid gleision fe ddaru nhw eistedd a sgwrsio. Roedden nhw'n synnu fod Madog yn siarad iaith y Calwsa cystal. Dywedodd y chwech wrth Isticáti eu bod nhw wedi crwydro ymhell o'u gwersyll, ond y byddai croeso iddyn nhw ddod efo nhw yn ôl yno. Camgymeriad mawr fyddai gwrthod, gan y byddai hynny'n codi cywilydd ar y rhai oedd yn gwahodd. Felly teithiodd Isticáti a Madog am ddyddiau efo'r chwech, a dod i wlad oedd yn diferu o dyfiant gwyrdd cyfoethog, a dyfroedd gleision, fel ei bod yn anodd dweud ai tir ai llyn mawr oedd y lle. Aeth y chwech i dynnu allan y canŵs yr oedden nhw wedi eu cuddio, ac yn y rheini y teithiodd Madog ac Isticáti gyda nhw am rai oriau nes dod i ddarn sylweddol o dir, a alwai'r dynion yn 'Pa-mai-oci' ('Y Dŵr Gwelltog'). Trwy gydol y daith, yr hyn a drawodd Madog oedd mor gyforiog o fywyd oedd y lle. Roedd gloynnod byw mawr, llawn lliwiau yn drwm ar yr awyr mewn rhai mannau. Roedd yna ddyfrgwn, crwbanod y dŵr, a nadroedd dŵr i'w gweld bob hyn a hyn. Ac roedd y coedydd yn llawn o sŵn adar. Ar un adeg dyma eu chwe chyfaill yn dechrau siarad yn gyffrous, dweud y gair 'Hwlpwtw' a chyfeirio at y dŵr. Yno roedd creadur tebyg i ddarn o foncyff coeden yn symud yn araf deg heibio. Fe welson nhw o'n ei dynnu ei hun yn afrosgo ar y lan ac yn cerdded yn flêr ar bedair coes fer.

Ymhen hir a hwyr fe ddaru nhw lanio ar ddarn sylweddol o dir, ac wedi cadw'r canŵs

a cherdded beth ffordd dyma nhw'n dod i wersyll eithaf tebyg i wersyll Isticáti. Fe gawson nhw groeso mawr yno. Roedd pawb yn edrych gyda rhyfeddod ar Madog yma eto. Fe gynhaliwyd gwledd. Fe'i cafodd Madog ei hun yn bwyta amryw fathau o bysgod a chigoedd, ond ddaru o ddim deall tan wedyn ei fod o wedi bwyta cig neidr. 'Blas eithaf tebyg i gyw iâr,' meddai wrtho'i hun.

Y diwrnod cyntaf yn y gwersyll newydd roedd Madog yn cerdded o gwmpas, a chriw o blant yn ei ddilyn, pan welodd o nifer o ferched yn golchi dilladau a llestri yn y dŵr. Cododd un ferch ifanc ei phen. Roedd ei chroen hi fel sidan tywyll, a'i gwallt hi'n ddu ddu, a hir at ganol ei chefn. Teimlodd Madog ei dau lygad du hi'n syllu arno. Gwenodd hi, a gwenodd yntau. Yna dyma'r merched eraill yn dweud rhywbeth a dechreuodd pawb ohonyn nhw chwerthin. 'Mae merched yma'n ddigon tebyg i ferched Gwynedd,' meddyliodd Madog, 'yn barod iawn i bryfocio'i gilydd.' Aeth yn ei flaen, ond trodd i edrych yn ôl ar y ferch. Roedd hi'n dal i'w wylio. Yng Ngwynedd fe wyddai'n iawn beth fyddai wedi'i wneud, yn enwedig ac yntau'n un o deulu'r tywysog; ond yma doedd pethau ddim yr un fath, a gwyddai'n iawn y gallai wneud camgymeriad a allai achosi helynt.

Wedi cyrraedd yn ei ôl i'r gwersyll, cafodd sgwrs ag Isticáti. Roedd Madog, erbyn hyn, wedi codi digon o iaith y Calwsa ar gyfer y rhan fwyaf o bethau pwysicaf ei fywyd.

'Heddiw mi welais i ferch,' dechreuodd.

'Mi welaist ti ferch ddoe, hefyd,' meddai Isticáti, gan hanner cuddio gwên.

'Gwir; mi welais i lawer o ferched ddoe.'

'Pam y mae heddiw'n wahanol i ddoe?'

'Mae'r ferch a welais i heddiw'n wahanol i'r holl ferched a welais i ddoe – a'r holl ferched eraill a welais i heddiw, o ran hynny.'

'Mae pethau fel hyn yn digwydd,' meddai Isticáti. 'Ond y mae merched sy'n wahanol i ferched eraill yn debyg o achosi trafferth – heb sôn am fod yn fusnes drud.'

'Rydw i'n deall hynny,' meddai Madog. 'Felly y mae hi yn ein teuluoedd ni yng Nghymru hefyd. Mae eisio llawer o wartheg,' – yma gwnaeth ystum i awgrymu'r anifail – 'i gael merch.'

'Tatanca?' (hynny ydi, 'byffalo') holodd Isticáti, a oedd wedi clywed gan rai o frodorion y wlad fawr am y fath bethau.

'Os dyna'r gair,' meddai Madog. 'Ein gair ni ydi "buwch".'

'Does yna ddim buwch yma,' meddai Isticáti.

'Dim buwch, dim merch – dyna wyt ti'n ei ddweud?' gofynnodd Madog.

'Na. Yr hyn yr ydw i'n ei ddweud ydi: heb lawer o bethau, dim merch,' meddai Isticáti. 'Os nad, wrth gwrs, nad ydi hi ddim yn werth dim byd: mae hynny'n dibynnu ar bwy ydi hi.'

'Merch efo croen fel sidan, a gwallt hir, du a...'

'Mae hyn'na'n wir am bob merch ifanc yn y lle yma,' meddai Isticáti. 'Mi fuasai enw yn dipyn bach o gymorth.'

'Wn i ddim be ydi ei henw hi.'

'A! Ei di ddim ymhell felly.'

Ond mi aeth Madog ymhellach nag oedd Isticáti'n ei feddwl, achos y diwrnod wedyn mi aeth allan eto at y lle golchi. Ond Ow! ac Och! doedd Hi ddim yno. Yna hwyliodd pladres o ddynes fawr heibio.

'Roeddwn i'n meddwl na allet ti gadw draw'n hir iawn,' meddai, gan wenu.

'Cadw draw?' meddai Madog gan geisio cymryd arno nad oedd o'n gwybod beth roedd hi'n cyfeirio ato.

'O felly mae'i deall hi, ie!' meddai'r wraig. 'A does gen ti ddim diddordeb mewn cael gwybod ei henw Hi, debyg iawn!'

'Hi? O, Hi... wel.' Pe bai Madog yn actor, hwn fyddai'r perfformiad salaf a welodd neb erioed.

'Ei henw Hi ydi Sita.' (Sef 'tân'.)

'Sita,' meddai Madog. 'Sita.' Clywodd ganu nefol: dyma'r enw tlysaf iddo'i glywed erioed.

'Ei thad hi ydi Cwlwlwste.' (Hynny ydi, 'Llwynog Du'.)

Doedd yr enw hwn ddim yn apelio hanner cymaint at Madog, ond roedd yn rhaid iddo gael ei wybod.

'Dydi ei thad hi mo'r dyn clenia yn y byd,' meddai'r wraig, 'ond dydi pethau gwerthfawr ddim i'w cael heb drafferth.'

'Sita ferch Cwlwlwste; dyna ydi ei henw hi,' meddai Madog wrth Isticáti, yn nes ymlaen.

'Dydw i ddim yn hidio dim am enw ei thad hi,' meddai Isticáti. 'Dydi o ddim yn swnio'n rhy glên i mi.'

'Hm,' meddai Madog.

'Ond mi ofynnwn ni i'r pennaeth a gawn ni ei weld o.'

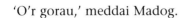

'O'r gorau,' meddai Madog.

A dyna fu. 'Dydi o ddim yn un o'r dynion clenia dan haul,' meddai'r pennaeth, 'ond mae croeso ichi fynd i'w weld o.'

Pan ymddangosodd Madog ac Isticáti wrth ddrws cartref Cwlwlwste,

'A be ydych chi ei eisio?' oedd cwestiwn cyntaf hwnnw – gŵr llond ei groen, efo llygaid slei – wrthyn nhw.

'Mae gennych chi ferch...' cychwynnodd Madog.

'Mi wn i hynny,' meddai Cwlwlwste. 'Steddwch. Mewn gwirionedd, mae gen i dair merch. Dim hogiau – fu neb mor anlwcus â fi yn ei blant.'

'O,' meddai Madog, 'fyddai hi ddim yn boen arnoch chi pe bai rhywun yn mynd â Hi oddi ar eich dwylo felly?'

'Mae'r tair yn genod ardderchog. Maen nhw'n werth y byd; yn werth y byd.'

'Sita,' meddai Isticáti. 'Be fyddech chi'n dweud ydi ei gwerth hi?'

'Hi ydi'r fwya gwerthfawr,' meddai Cwlwlwste, ac ychwanegu wedyn gyda phwyslais trwm, 'y fwya gwerthfawr.'

'Os felly, mi awn ni rŵan,' meddai Isticáti, gan fygu'r brotest oedd ar fin llenwi ceg Madog. 'Tyrd,' meddai wrth hwnnw, gan godi.

'Ond ddim y tu hwnt i gyrraedd rhywun... sut y dweda i... rhywun dewr a chefnog,' brysiodd Cwlwlwste i ychwanegu.

'Mae fy nghyfaill yn ddewr, a chefnog,' meddai Isticáti.

'Y fo!' meddai Cwlwlwste. 'Ond dydi o ddim yn un ohonom ni.'

'Dydw innau ddim chwaith,' meddai Isticáti.

'Ddim o'n llwyth ni, mae'n wir,' meddai Cwlwlwste, 'ond eto rwyt ti'n un ohonom ni. Amdano fo, wel…'

Dechreuodd Isticáti godi eto.

'… nid un ohonom ni, efallai, ond…' meddai Cwlwlwste.

'Un dewr *a chefnog*,' meddai Isticáti.

'Cefnog? Mae yna lawer math o gefnog,' meddai Cwlwlwste. 'Pa fath ydi o?'

'Mae yna lawer math o ferched hefyd,' meddai Isticáti. 'Pa fath ydi'r ferch yma sy gen ti?'

'Gwerthfawr iawn iawn. Gwerthfawr iawn,' meddai Cwlwlwste gan edrych o gil ei lygad ar Madog.

'Be ydi hynny?' gofynnodd Madog, a chael gwth yn ei sennau gan Isticáti.

'Cwestiwn da. Cwestiwn y dylid ei ofyn,' meddai Cwlwlwste.

'Mae fy nghyfaill yn cynnig chwe mochyn a hwch, llond basged o bysgod tew, a dau garw,' meddai Isticáti.

Cododd Cwlwlwste ei freichiau, gwneud ceg gam, ac edrych i'r nefoedd. 'Chwe mochyn a hwch, basgedaid o bysgod a dau garw! Gwerthfawr? Mae gen ti, a fo, y gwyneb i gynnig hyn'na bach am ferch werthfawr, werthfawr iawn fel Sita!' A dechreuodd chwerthin yn goeglyd. 'Roeddwn i'n meddwl iti ddweud ei fod o yn gefnog! Ond mi ddweda i hyn amdano fo, mae'n rhaid ei fod o'n ddewr – i wneud y fath gynnig enbyd o dila.'

Gwnaeth Isticáti osgo i godi eto, a dweud, 'Tyrd, Madog.'

'Deg mochyn, tair hwch, dwy fasgedaid a o bysgod, a phedwar carw,' meddai Cwlwlwste.

Aileisteddodd Isticáti, 'Deg mochyn! Tair hwch! Be ydi dy ferch di – merch yr Haul!'

'Cystal bob tipyn.'

'Wyth mochyn, dwy hwch, un fasgedaid o bysgod, a dau garw.'

'Tri charw,' meddai Cwlwlwste.

'O'r gorau, tri charw,' meddai Isticáti.

'Mae o wedi cael bargen a hanner,' meddai Cwlwlwste, gan nodio ei ben i gyfeiriad Madog.

'Ac rwyt tithau wedi cael mab i bennaeth gwlad sy ymhell dros y môr,' meddai Isticáti.

Fe gymerodd gryn dipyn o amser i gael y tâl priodas i Cwlwlwste. Ond fe ddaeth dydd y briodas, yng ngwersyll Sita, gyda dau ŵr hysbys yn cymryd rhan yn y seremoni liwgar a swnllyd, sef Idi Shi a gŵr hysbys llwyth Sita. Yn goron ar y cwbwl canodd Anwawd gân o fawl i'r ddau oedd yn priodi, gan gyfeilio iddo'i hun ar ei delyn. Unwaith eto cafodd y math o dderbyniad yr oedd yn teimlo fod rhywun fel efô yn ei haeddu.

Ymhen blwyddyn fe anwyd mab i Madog a Sita. Yr adeg honno fe sylweddolodd y morwyr nad oedd Madog yn debyg o fynd yn ei ôl i Gymru.

'Rwyt ti am aros yma am byth felly?' gofynnodd Eric i'w gyfaill un dydd.

'Ydw. Yma y mae fy lle i bellach. A chdi?' meddai Madog.

'Er mor dda ydi'r wlad yma a'r bobol, rydw i am fynd yn ôl,' meddai Eric.

'Fe gaiff pawb o'r morwyr ddewis aros neu ddod efo chdi,' meddai Madog.

Llond un llong a benderfynodd fynd yn eu holau. Doedd hynny ddim yn syndod gan fod amryw o'r morwyr wedi gwneud yr un peth â Madog a magu teuluoedd yn eu gwlad newydd.

Aeth pawb ati, gyda chymorth amryw o wŷr y Calwsa i roi triniaeth arbennig i un o'r llongau a oedd wedi eu cuddio. Yr oedden nhw wedi bod yn cael eu trin bob hyn-a-hyn ar hyd yr adeg yr oedd y Cymry wedi bod yn y wlad bell. Buwyd yn iro'r coed yn ofalus;

yn paratoi rhwyfau, hwyliau a chynfasau newydd, a rhai dros ben. Ffitiwyd y llong oedd am ddychwelyd â llyw newydd, a rhoddwyd digon o goed ar gyfer unrhyw ddamweiniau. Llwythwyd y balast i'w le unwaith eto. Llwythwyd hynny a ellid o fwyd a dŵr ar y bwrdd, a rhoddwyd amryw drysorau yno: addurniadau o wahanol fathau, gwisgoedd pen o blu eryrod, dannedd aligator, cynffon neidr-grecian, a bwâu a chyllyll, a thrysorau eraill. Eric ac Elidir oedd yn gyfrifol am *Eryn*. Roedd Anwawd hefyd ar y llong. Gadawodd ei delyn yn anrheg i Idi Shi. Ar fore o Fai fe ffarweliodd y rhai oedd am aros â'r rhai oedd yn hwylio, hebryngwyd y llong i'r môr gan chwe chanŵ, ac unwaith yr oedd hi ar y môr agored fe'i cariwyd hi allan gan gerrynt oedd yn llifo'n gryf, ac wedyn gan wyntoedd a chwythai o'r gorllewin. Lle'r oedd y daith i'r wlad bell wedi cymryd wyth mis, ni chymerodd y daith yn ôl i Gymru ond pum mis.

# 12
# Adref i Gymru'n ôl

**C**hafodd neb groeso tebyg i'r morwyr a gyrhaeddodd yn ôl o'r wlad bell. Lle bynnag yr aen nhw roedd pobol yn tyrru o'u cwmpas nhw ac yn gofyn sut le oedd dros y môr, a sut siwrnai a gawson nhw. Roedd y croeso yn llys Owain Gwynedd yn un arbennig, er nad oedd pawb yno'n wirioneddol falch o weld y morwyr wedi dychwelyd. Buwyd yn rhyfeddu at drysorau'r wlad bell, a gwnaeth rhai o'r morwyr elw go dda wrth ffeirio eu trysorau am wartheg. Ond roedd yno driawd yn y llys oedd yn ei chael hi'n anodd iawn i wenu – er eu bod nhw'n ymdrechu'n galed i wneud hynny, rhag digio'r tywysog. Y tri hynny oedd Cadfan, Crafanc, a Beuno. Dywedodd Eric hanes eu taith hir, gan gyfeirio at eu hanturiaethau, gan nodi'n bendant nad oedd yna ddim erchwyn i'r byd crwn, ac nad oedd hi'n bosib disgyn drosodd yn unlle. Disgrifiodd y wlad bell a dweud fod Madog wedi ymsefydlu yno, ac y byddai cyfle i unrhyw rai oedd am ymuno ag o ddod gydag o, sef Eric, ar ail fordaith yn y man.

Ond Anwawd oedd y dyn am hanesion; roedd o yn ei elfen yn disgrifio sut y bu hi.

'Y rhai ohonoch chi yn y llys yma heno nad ydyn nhw'n cofio sut y bu hi pan aethom ni ar ein taith arwrol,' meddai ar ôl gwledd un noson, 'mi ddweda i wrthych chi. Eric yma, a Madog yn adeiladu llongau hollol newydd, tair ar ddeg ohonyn nhw na welwyd...'

'Tair ar ddeg!' ebychodd Crafanc. 'Tair ar ddeg! Wyt ti ddim yn gallu cyfri?'

'Does dim eisio bod yn granc am ryw fân fanylion,' meddai Anwawd, 'mae eisio mynd i ysbryd yr antur. Fel y dwedais i, tair ar ddeg o longau na welodd neb eu tebyg nhw erioed o'r blaen; rhai oedd fel ebolion yn prancio ar y dyfroedd ar dywydd hwylio da, ond a oedd hefyd mor gadarn â chreigiau yn stormydd mawr y moroedd. Dydych chi yn fan'ma ddim yn gwybod be ydi stormydd. Rydych chi'n galw rhyw fymryn o awel a chrych ar y dŵr yn storm. Be ydi hynny o'i gymharu â phethau a welsom ni: mynyddoedd o fôr, tonnau fel clogwyni yn codi'r llong i fyny i'r awyr ac yn ein taflu ni wedyn i ddyfnderoedd. Roedd y peth fel disgyn i lawr o'r nefoedd!

'Ac ynysoedd! Mae Môn, dw i ddim yn dweud, yn ynys eithaf nobl, ond be ydi Môn i'w chymharu â'r llefydd a welsom ni. Ynysoedd gymaint â gwledydd, yn llawn rhyfeddodau – dynion efo traed mor fawr nes eu bod nhw'n gallu cysgodi odanyn nhw pan oedd hi'n bwrw; creaduriaid oedd yn hanner nadroedd a hanner gwragedd, efo gwalltiau oedd yn nadroedd bach i gyd; pobol eraill oedd yn cario'u pennau o dan eu ceseiliau ac yn bwyta gwair. A be am fynyddoedd yn llawn o ddreigiau mawr sy'n poeri tân! Bu ond y dim inni gael ein lladd i gyd wrth i un ddraig boeri darnau o gerrig llosg a chreigiau eirias o'n cwmpas ni. Oni bai am Madog, ac Eric yma – y llongwyr medrus ag ydyn nhw – fuasai yna neb ohonom ni yma heddiw i adrodd yr hanes.'

Yma torrodd Crafanc ar ei draws, 'Dreigiau yn poeri tân ddwedaist ti? Mi welodd Taliesin rai o'r rheini hefyd. Ddwedais i wrthych chi am Daliesin yn sôn yn un o'i gerddi am ei daith i wlad y dreigiau? Mae hi'n dechrau fel hyn…'

Torrodd Anwawd ar ei draws yntau, 'Welodd Taliesin ddim byd tebyg i ni. Ac ers talwm y bu hynny, yn nhywyllwch yr hen oesoedd. Am rŵan yr ydw i'n sôn. A welodd Taliesin, na neb arall, y math o fôr a welsom ni; môr a hwnnw'n dew o wymon fel rhaffau, ac yn y nos

roedd yna nadroedd efo golau ar eu boliau yn nofio i'r wyneb, rhai mor hir â'r stafell yma, clampiau o bethau hyll yn troelli o gwmpas ein llongau ni, ac yn gwneud i'r dŵr droi'n wyrdd efo'u gwenwyn. Roedd eisio dipyn o galon i fod yn forwr ar y môr ofnadwy hwnnw. Ond nid hynny oedd y peth gwaetha ar y môr sglyfaethus hwnnw. Yn y nos roedd yna long dywyll yn ymddangos yn llawn o bethau duon fel diafoliaid efo llygaid gloywon…'

Beuno a dorrodd ar draws Anwawd y tro hwn. 'Mi welodd yr Apostol Pawl bethau tebyg, pethau o uffern. A, chyda llaw, fe fu'r Apostol hefyd mewn amal i storm, a chael ei achub bob tro am fod angylion Duw'n dod i lawr mewn goleuni nefol i edrych ar ei ôl o.'

'Efallai'n wir mai pethau tebyg a welodd yr Apostol Pawl. Ond roedd y rhain am ein denu ni i drobwll enfawr…'

'Erchwyn y byd fuaswn i'n galw hynny,' meddai Cadfan. 'Mi fuasech chi wedi mynd dros y dibyn petaech chi…'

'Nid erchwyn y byd oedd o o gwbwl; trobwll mawr y môr oedd o – roedd yna fôr i gyd o gwmpas y troi mawr yma. Mi fuasai'n eich sugno chi i ddyfrllyd fedd ond i chi fynd o fewn cyrraedd i'r troi, mi fyddech yn cael eich llyncu i'r dwfn i fod yn feirwon efo'r gwymon yn gymysg, yn cael eich brathu gan nadroedd anferthol efo golau'n eu boliau. Ond dyma ni heibio i'r lle a chyrraedd y wlad hyfrytaf a welodd neb erioed. Ffrwythau'n plygu'r coedydd fel nad oedd dim ond eisio ichi estyn eich dwylo i gael pryd hyfryd oedd yn ddigon am wythnos. Môr oedd mor llawn o bysgod tewion fel nad oedd dim eisio ond taflu rhwyd i'r dŵr i ddal slaffiau o bysgod fuasai'n gwneud prydau i deuluoedd am ddyddiau. A chwningod! Cwningod mawr fel bytheiaid, ac mor hawdd eu dal fel y buasai hogyn teirblwydd yn gallu gwneud hynny. A sôn am gig! Wedi ei rostio, roedd o mor frau nes ei fod o'n chwalu yn eich ceg chi. Heb sôn, hogiau bach, am y ceirw trwm oedd yno, a'r adar oedd yn berwi yn y coedydd. A hyn oedd yn dda – doedd yno ddim gaeaf: roedd hi'n braf trwy'r flwyddyn, ar wahân i ambell gawod i gadw'r llwch i lawr. A phobol glên! Welais i neb cleniach, yn byw'n braf a hawdd yn y wlad wyrdd a thoreithiog yma.'

'Oedd yna ddim byd annymunol yno?' gofynnodd Cadfan yn sur.

'O oedd,' meddai Anwawd.

'Mae yna sarff ym mhob Eden,' meddai Beuno, gan ysgwyd ei ben yn ddoeth.

'Roedd yna seirff yno hefyd, ond doedd dim rhaid i neb boeni gormod am y rheini – gadael iddyn nhw oedd eisio. Ond roedd yna bethau eraill. Dyna ichi'r tro pan oeddwn i a Tudwal wedi mynd draw i'r gors werdd lle'r oedd Sita – hi ddo'th yn wraig i'n Madog ni – yn byw. Roedden ni'n mynd mewn cwch wedi ei wneud o foncyff a'i fol o wedi'i naddu allan: 'canŵ' ydi'r gair am y math yma o gwch. Dyma ni'n gweld boncyff arall yn nofio yn y dŵr, a'i gefn o'n gnotiau caled i gyd. Boncyff ydi boncyff, a dyna fo. Ond dyma ni'n gweld y boncyff yma'n nofio am y lan lle'r oedd yna nifer o wragedd, a phlant bach yn chwarae. Yn sydyn dyma'r boncyff yma'n agor ceg fawr a honno'n llawn o ddannedd miniog fel llif ac yn ei chau hi'n glep am ddarn o ddillad hogyn bach oedd yn y dŵr. Dyma pawb ar y lan yn dychryn a dechrau gweiddi na fu'r ffasiwn beth. Dyma Tudwal a finnau'n rhwyfo fel melin am y lan. Ac wedi dod o fewn cyrraedd i'r boncyff byw yma dyma Tudwal yn neidio i'r dŵr â'i gyllell yn ei law ac yn gafael am y creadur yma. Gollyngodd hwnnw ddillad yr hogyn bach a throi ar Dudwal, yn ddannedd dychrynllyd i gyd. A dyma hi'n ymladd rhwng y ddau nes bod y dŵr yn berwi a thasgu a throchioni o'u cwmpas nhw, a'r creadur peryg yma'n swalpio na fu'r ffasiwn beth. Fe fu hi'n ornest a hanner, ond yn y diwedd dyma Tudwal yn plannu ei gyllell yn nhagell y creadur, dan ei ên, lle'r oedd y cnawd yn feddalach – achos roedd croen ei gefn o mor galed â tharian. Unwaith, dwy, tair gwaith dyma'r gyllell yn suddo i gnawd y creadur, a dyma 'fyntau'n dechrau llonyddu, ac yn marw. A dyna ichi lawenydd oedd yno wedyn, a Thudwal a finnau'n arwyr ac yn cael ein trin fel brenhinoedd.

'Roedd gan bobol y wlad eu crefydd eu hunain.'

'Bydd gofyn i'r eglwys anfon cenhadon yno, mi welaf,' meddai Beuno.

'Os gwnes i ddeall yn iawn, rhyw Ysbryd Mawr oedd yno – Wacan Tanca oedd eu henw nhw – yn lle'n Duw ni, ac roedd y byd i gyd yn perthyn iddo fo, ac roedd y bobol i gyd i ofalu am y byd yma, achos byd Wacan Tanca ydi o.'

'Oedd ganddyn nhw offeiriaid?' gofynnodd Beuno.

'O oedd,' meddai Anwawd. 'Un o'r pwysicaf yn ein lle ni oedd Idi Shi.'

'Idi Shi!' meddai Beuno. Yna ychwanegodd yn ddireidus, 'mae yna rywbeth yn eithaf cyfarwydd yn yr enw!' Dechreuodd pawb arall, ar wahân i Crafanc, chwerthin yn ofalus.

'Ddwedais i,' meddai Anwawd, 'fod gennym ninnau bobol run fath â fo...'

Ac fel hyn y bu hi am amser maith iawn – Anwawd yn rhaffu ei straeon ac yn cael croeso a derbyniad a bwyd a thâl, ac wrth ei fodd. Gwrandawodd Eric gyda chymaint o syndod ar ei chwedlau â phawb arall, nes iddo syrffedu ar y cyfan. Yna aeth o ati i baratoi llongau ar gyfer taith arall i'r wlad bell; ond awn ni ddim ar ôl y stori honno.

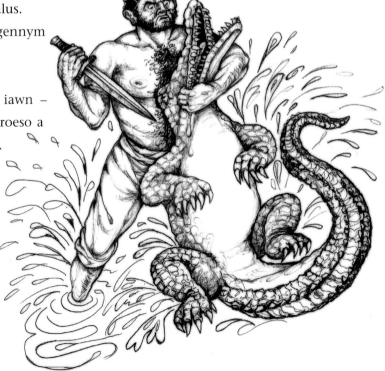

# 13
# Dawns yr Haul

**F**e anwyd pump o blant i Madog a Sita, tri mab a dwy ferch. Ar ôl i'r meibion dyfu'n llanciau, fe ofynnodd Isticáti i Madog ddod gydag o ac Idi Shi ar daith bell, bell i'r gogledd i Gyfarfod Mawr y Llwythau. Cytunodd yntau. Fe ddaeth dau o feibion Isticáti a dau o feibion Madog efo nhw. Mewn gwirionedd, roedd y Calwsa'n byw ar benrhyn mawr, a'r hyn a wnaethon nhw oedd teithio i fyny i le a alwai Isticáti yn 'Wlad Fawr', heibio i le'r oedd y bobol oedd yn byw yno'n ei alw yn Talahasi.

Yn aml, fe fyddai'n llawer haws iddyn nhw deithio ar ddŵr nag ar dir, ac roedd ganddyn nhw ganŵs ysgafn o groen ar ffrâm o goed ar gyfer hynny: roedden nhw'n hawdd eu cario.

Erbyn iddyn nhw gyrraedd y man cyfarfod roedd hi'n ddechrau'r haf. Roedd llawer iawn o bebyll wedi eu codi mewn maes mawr, a phobol mewn gwahanol fathau o wisgoedd wrth eu pebyll neu'n cerdded o gwmpas. Roedd rhai'n gwisgo ffedog fel Isticáti a'i gymdeithion, roedd gan eraill drywsusau a chrysau o groen, ac roedd gan amryw blu yn eu gwalltiau tywyll, a chan ychydig ddynion wisgoedd yn llawn o blu am eu pennau, a'r rheini'n cyrraedd i lawr at hanner eu cefnau. Roedd un neu ddau hyd yn oed yn

gwisgo croen arth – 'Poeth iawn ar dywydd fel hyn,' meddyliodd Madog.

Roedd bron pawb yn troi i edrych ar Madog a'i hogiau am eu bod nhw mor olau, ond doedd neb yn dweud dim am hynny. Tra oedd Madog ac Isticáti a'u meibion wrthi'n gosod cwt o goed a dail wrth ei gilydd gadawodd Idi Shi nhw a mynd i ganol y gwersyll.

Wedi iddo gyrraedd yno gwelodd fod yno chwe gŵr hysbys arall fel fo'i hun. Roedd rhai ohonyn nhw'n deall iaith ei gilydd, ond roedd pawb yn deall rhai geiriau o ieithoedd ei gilydd, ac roedd ganddyn nhw hefyd nifer o arwyddion efo'u dwylo i ddeall ei gilydd. Eisteddodd y saith ohonyn nhw mewn cylch yn sgwrsio. Roedd yna ddefod fawr i gael ei chynnal.

Y diwrnod wedyn dyma'r saith gŵr hysbys yn cyfarfod ynghanol y maes mawr. Roedd y bobol i gyd o'u cwmpas nhw yno. Dyma'r saith yn eistedd i lawr mewn cylch ac yn ysmygu pibell, pob un yn sugno mwg ohoni cyn ei phasio i'r llall. Hyn oedd dechrau'r ddefod. Wedyn dyma nhw'n codi ac yn gwneud llun cylch efo croes yn ei ganol, efo pen pob llinell yn pwyntio at y pedwar cyfeiriad – gogledd, de, dwyrain, gorllewin. Yn y canol un, lle'r oedd y llinellau'n croesi dyma nhw'n gosod plu eryr, sef yr aderyn oedd yn arwydd, iddyn nhw, o nerth yr holl fyd. Yna, dyma bob un ohonyn nhw'n dechrau chwibianu efo ffliwtiau oedd wedi eu gwneud o esgyrn eryr, tra oedd eraill yn torri siâp y lleuad llawn allan o groen, sef arwydd o'r golau sy'n gryfach na thywyllwch, a llun 'tatanca' (sef 'byffalo') fel arwydd o holl bobol y byd.

'Dowch yma, lanciau,' meddai Idi Shi. A daeth deg o ryfelwyr ifainc ato, gan gynnwys dau fab Isticáti. Rhoddodd Idi Shi saets iddyn nhw a dweud wrthyn nhw am ddilyn ei gyfarwyddiadau o a marcio cylch i Babell y Ddawns. 'Gwisgwch amdanoch eich gwisgoedd rhyfel,' meddai wedyn, 'ac yna ewch i'r goedwig i chwilio am goeden boplys hardd a hir. Wedi ichwi gael hyd i un, dowch yn ôl yma.'

Ymhen peth amser daeth y gwŷr ifainc yn ôl, a dilynodd y saith gŵr hysbys nhw i'r coed. Ar ôl cyrraedd y goeden, dyma bedwar o'r llanciau yn cael eu rhoi i sefyll mewn pedwar cyfeiriad o'i chwmpas hi, pob un ohonyn nhw efo bwyell yn ei law. Dyma'r lleill i gyd yn dechrau dawnsio i guriad drwm o'u cwmpas nhw. Fel yr oedd y rheini'n dawnsio, dyma un o'r pedwar yn nesu at y goeden ac yn ei tharo hi'n galed efo'i fwyell. Gwnaeth y tri arall yr un peth yn eu tro. Dyma hyn yn cael ei ailadrodd nes bod y goeden yn barod i gwympo. Yna dyma'r gwŷr ifainc yn dod ati ac yn ei thorri oddi wrth y stwmpyn odani, gan ofalu nad oedd hi ddim yn cyffwrdd y ddaear tra oedden nhw'n ei chario hi. Wrth fynd am y gwersyll roedden nhw'n udo fel coiotiaid.

Ar ôl cyrraedd y gwersyll, a mynd i'r canol un, dyma nhw'n rhoi'r goeden i sefyll mewn twll oedd wedi cael ei gloddio yno. Yna, eu tasg oedd codi cwt eithaf mawr o goed o amgylch y goeden. Hwn fyddai Pabell y Ddawns, oedd i fod yn arwydd o'r bydysawd. Wedyn dyma holl ryfelwyr y llwythau oedd yno yn gwisgo eu plu rhyfela ac yn peintio'u cyrff. Yr offerynnau oedd yn cael eu defnyddio'n bennaf yn eu seremonïau oedd drymiau. Dechreuodd y rhain swnio, a dechreuodd y rhyfelwyr ddawnsio gan weiddi a chan sgrechian. Erbyn hyn roedd hi'n tywyllu. Gosododd y saith gŵr hysbys y deg llanc ifanc i eistedd. Fe fuon nhw'n eistedd mewn cylch, i ddechrau, gan ysmygu a phasio'r bibell o un i'r llall. Tra digwyddai hyn roedd Idi Shi yn siantio gweddi, 'O Wacan Tanca,' ('Ysbryd Mawr') meddai, 'rydw i'n dangos iti yma gylch ein pobol ni ar dy ddaear di. Rydym ni am ddioddef er mwyn ennill dy oleuni di.' Yna aeth y deg rhyfelwr ifanc i mewn i Babell y Ddawns a chaewyd y drws. Yno y buon nhw tan y bore, yn dawnsio ac yn chwysu'n

diferol, fel arwydd eu bod nhw wedi eu puro, yn ddigon pur i gymryd rhan yn y seremoni. Agorwyd y drws am ychydig a rhoddwyd ychydig ddŵr iddyn nhw. Aeth un o'r gwŷr hysbys i mewn atyn nhw. Yna caewyd y drws am y tro olaf.

Y tu mewn i'r Babell dyma un rhyfelwr yn mynd i'r canol, lle'r oedd y goeden boplys. Yno roedd y gŵr hysbys yn disgwyl amdano, efo cyllell yn ei law.

'Y mae'n rhaid i rai ddioddef er mwyn lles pawb,' meddai'r gŵr hysbys, gan wneud dau doriad yn y croen rhyw dair centimetr oddi wrth ei gilydd, a rhyw bedair centimetr o hyd. Roedd pâr o'r toriadau hyn ar fynwes, pâr ar ysgwydd, a phâr ar gefn y rhyfelwr hwn, a'r lleill yn eu tro. Yna, gwthiodd y gŵr hysbys garrai denau o dan y croen a wnaed yn llac gan bob pâr o doriadau. Yna clymai ddau ben y careiau yn dynn yn y goeden boplys. Erbyn hyn roedd y rhyfelwr wedi ei glymu gerfydd ei groen wrth y goeden. Yr hyn a ddigwyddai wedyn oedd fod yn rhaid iddo dynnu a thynnu, mewn poen mawr, nes y byddai ei groen o'n torri ac y byddai yntau'n rhydd. Dyna a ddigwyddodd hefyd i'r holl ryfelwyr ifainc eraill oedd yn y babell.

Y tu allan roedd y drymiau'n cael eu curo'n rhythmig a'r holl bobol yn dawnsio mewn cylch. Fe fuon nhw'n gwneud hynny trwy'r dydd ac ymhell i'r nos. Pan oedd golau gwan yr haul i'w weld yn y dwyrain, dyma'r drws yn cael ei agor i'r cyfeiriad hwnnw, a'r rhyfelwyr a'r gŵr hysbys yn dod allan o'r babell. Fel y digwyddodd hynny dyma'r dawnsio a'r drymio'n peidio ar unwaith nes bod yna ddistawrwydd mawr a llethol dros y lle i gyd. Parhaodd hwnnw nes bod yr haul yn cryfhau a'i bod hi'n olau dydd.

'Mae golau Wacan Tanca arnom ni i gyd,' meddai Idi Shi. 'Mae o'n gwneud y byd i gyd yn loyw. Rydym ni yn llawen rŵan. Mae'r byd yn llawn gorfoledd.'

Yna daeth amryw o wragedd ymlaen a molchi'r rhyfelwyr ifainc a'r gŵr hysbys a fu

ym Mhabell y Ddawns. Rhoddwyd eli, wedi ei wneud o lysiau, ar glwyfau'r rhyfelwyr.

'Coch ydi lliw y ddaear,' meddai Idi Shi, 'ac o'r ddaear y daeth pob un ohonom ni.'

Yna peintiodd y gwragedd y deg rhyfelwr yn goch i gyd o'r gwasg i fyny.

'Du ydi lliw anwybodaeth,' meddai Idi Shi wedyn.

A dyma'r gwragedd yn gwneud cylchoedd o baent du o gwmpas wynebau'r rhyfelwyr, yn tynnu llinell ddu o'u talcennau rhwng eu llygaid ac i lawr eu trwynau, a rhoi llinellau duon ar eu bochau a'u gênau, a chylchoedd duon o gwmpas eu clwyfau.

'Dyma arwydd fod ein briwiau ni'n ein torri ni'n rhydd o dywyllwch ein hanwybodaeth,' meddai Idi Shi.

A dyma'r drymiau'n dechrau eto, y dawnsio'n dechrau eto, a chwiban ffliwtiau'n uno efo nhw.

'Mae'n defod ni ar ben. Da ydyw,' meddai Idi Shi.

Roedd Madog wedi ei ryfeddu. 'Mae yna ryw fath o dduw yn fan'ma hefyd,' meddyliodd. 'Be fuasai Beuno'n ddweud, os gwn i?' Ond er ei fod o'n ddigon bodlon i wylio eu crefydd nhw, yn ei galon roedd o'n dal i gredu yng nghrefydd ei eglwys ei hun. Yna dyma fo'n dechrau meddwl ei fod o bellach yn Gymro oedd ar ei ffordd i fod yn un o'r Calwsa. Ond yr oedd o a'i deulu, a'r morwyr o Gymry oedd wedi aros efo fo, yn dal i siarad Cymraeg – yn ogystal â iaith y Calwsa.

Fel y digwyddodd hi yn hanes Madog a Sita, felly y digwyddodd hi i'w meibion nhw. Fe ddaru nhw gyfarfod merched o lwythau o'r gogledd ac, yn y man, mi ddaru nhw symud i fyny efo nhw. A dyna sut y daeth yna bobol yn y Wlad Fawr i siarad Cymraeg. Fe dyfodd teuluoedd meibion Madog yn llwyth a fu'n ffynnu am hir ynghanol y Wlad Fawr, a hynny ar diroedd o amgylch yr afon a elwir yn 'Missouri'. Nhw oedd llwyth y Mandan, y llwyth o bobol llygaid gleision a siaradai Gymraeg.

# 14
# Diwedd y Daith

**E**rbyn hyn roedd Madog yn hen ŵr, a Sita yn hen wraig. Roedd rhai o'u plant a'u hwyrion yn byw yn yr un gwersyll â nhw, a'r lleill wedi mynd ymhell. Bywyd tawel oedd bywyd Madog bellach, a byddai'n eistedd allan efo'r hynafgwyr eraill bob dydd yn sôn am yr hen amser. Roedd ei ffrindiau'n hoff o glywed am Gymru, y wlad yr hwyliodd o ohoni, ac am ei fordaith ryfeddol. Un diwrnod daeth awydd cryf iawn dros Madog i weld yr hen long, *Gwennan Bendragon,* a oedd erbyn hyn yn araf bydru lle y cuddiwyd hi. Dywedodd am hyn wrth Sita. Ddaru hi ddim dweud fawr ddim, ond estynnodd iddo ei gleddyf, yr un oedd ganddo pan ddaeth o Gymru, yn union fel pe bai hi'n darllen ei feddwl. Ond fe ddywedodd hi am fwriad ei gŵr wrth Isticáti.

'Mi a' i efo fo,' meddai hwnnw. 'Ar lan y môr yn fan'na y daru ni gyfarfod am y tro cyntaf un, yn yr hen amser.'

Ymlwybrodd y ddau yn araf drwy'r coed a'r gwyrddni, a graddol fynd i lawr at lan y môr.

'Yn fan'ma y mae'r llong,' meddai Isticáti, gan gyfeirio at dyfiant toreithiog.

'Mae'r lle wedi tyfu'n wyllt,' meddai Madog. 'Rydw i'n cofio'r amser pan fyddem ni'n dod i lawr yma i dacluso'r lle, ac iro coed yr hen long.'

'Mi aethom ni'n rhy hen i bethau felly,' meddai Isticáti, 'ac y mae gan ein plant ni eu pethau eu hunain i 'morol amdanyn nhw.'

Dechreuodd y ddau dorri'r tyfiant, heb frys. Fel yr oedden nhw'n codi talpiau ir o'r gwyrddni, deuai mwy a mwy o'r llong i'r golwg. A deuai mwy a mwy o atgofion i feddwl Madog.

'Dyma'r hwylbren,' meddai gan gydio yn y polyn hir wrth ochor y llong. Fe dorrodd yn dri darn wrth iddo fo geisio'i godi o.

'Wedi mynd yn frau,' meddai Isticáti, 'ac yn llawn o bryfed sy'n ei fwyta fo.'

'Mae'r rhwyfau yn y llong,' sylwodd Madog, ac wedi dringo ar ben twmpath o dyfiant estynnodd ei law i afael yn un ohonyn nhw. Tynnodd hi allan yn gyfan, gan redeg ei law drosti i gael gwared o bob 'nialwch oedd yn cydio ynddi hi. 'Ddim fel newydd!' ychwanegodd.

'Does yna fawr ddim fel newydd ar ôl yr holl flynyddoedd,' meddai Isticáti, gan dynnu allan rwyf arall. 'Pe bai gennym ni gwch, fe allem ni roi tro ar y môr,' meddai.

'Braidd yn hir ydi'r rhwyfau yma,' meddai Madog. Yna ychwanegodd, 'Rydw i'n cofio'n iawn y saer, Illtud, yn naddu'n rhwyfau cyntaf ni, ac Eric yn dweud wrtho fo be i'w wneud. Mi aeth yn dipyn o ffrae rhyngddyn nhw. 'Ydi hwn yn meddwl 'mod i'n dwp!' meddai Illtud gan daflu ei gyllell naddu i goedyn nes ei bod hi'n crynu yno ac yn gwneud sŵn hyrrio. Ond, roedd Eric yn gwybod ei bethau: mi wyddai o'n iawn sut rwyfau oedd ar longau gwledydd y gogledd, a bod yn rhaid cael rhai felly ar gyfer ein mordaith ni.'

Plygodd Madog drosodd i'r llong unwaith eto, gafael mewn rhwyf a dechrau tynnu. Roedd y tyfiant wedi gafael yn dynn yn hon a bu wrthi'n stryffaglu'n galed am ychydig funudau, cyn rhoi'r gorau iddi am funud. Daeth Isticáti ato i roi help llaw iddo. Cydiodd yn y rhwyf a dechrau tynnu. Gwelodd Madog hyd du'n cordeddu heb fod ymhell oddi wrth law ei gyfaill. Gwelodd safn yn agor, a gwynder i gyd o'i chwmpas hi. Am eiliad trodd fel un ifanc eto. Fel mellten roedd ei gleddyf yn ei law. Trawodd. Gwelodd ben sarff

yn codi i'r awyr yn glir oddi wrth ei chorff, cyn iddi hi gael cyfle i'w hyrddio ei hun ymlaen i frathu Isticáti. Yna gwelodd Madog ei chorff tywyll yn nyddu a throi a throsi'n waedlyd yn y tyfiant yng ngwaelod y llong.

'Moccasin!' meddai Isticáti, gan enwi'r neidr. A gwyddai fod ei gyfaill wedi achub ei fywyd. Pe bai wedi cael ei frathu byddai'n rhy bell o'r gwersyll i nôl gŵr hysbys i hwnnw drin y gwenwyn efo'i lysiau dirgel.

Gadawodd y ddau y drydedd rwyf a mynd i'r traeth ac eistedd yno. Roedd y ddau wedi cael cryn ysgytiad. Dechreuodd braich chwith Madog frifo. Aeth y boen yn waeth gan ymestyn ar hyd ei fynwes, a dechreuodd ei lygaid dywyllu.

'Be sy?' gofynnodd Isticáti'n bryderus.

'Ddim yn dda iawn,' meddai Madog. 'Ond mi fydda i'n well ar ôl cael gorffwys.'

Ond doedd o ddim. Roedd y byd o'i gwmpas o fel pe bai o'n pellhau oddi wrtho fo ac yn troi yn niwl. Sylweddolodd Isticáti beth oedd yn digwydd. Beth oedd o i'w wneud? Aros yma efo'i ffrind, neu fynd yn ei ôl i'r gwersyll i geisio cymorth. Beth pe bai o'n mynd, a Madog yn marw yma ar ei ben ei hun. Penderfynodd aros.

'Cod fi ar fy eistedd,' meddai Madog.

Roedd carreg lefn go fawr heb fod ymhell. Llusgodd Isticáti ei gyfaill yn dyner ati, a'i roi i eistedd â'i gefn arni.

'Ydw i â 'ngwyneb tua'r môr?' gofynnodd Madog.

'Wyt,' meddai Isticáti. Deallai'n iawn fod Madog yn gwybod ei fod yn mynd ar ei daith olaf. Cododd a dod â'r ddwy rwyf, a gosod un ar y naill law iddo fo, a'r rhwyf arall ar y llaw arall. 'Y rhwyfau,' meddai.

'Taith morwr,' meddai Madog, a gwenu'n boenus.

Dechreuodd glywed sŵn y môr, a hwnnw fel pe bai o'n dod yn nes, nes. Yn ei ddychymyg gwelodd eto longau ar y tonnau, yn llawn o forwyr o Gymru. Ac yna gwelodd ynys Môn, a'r llys yn Aberffraw. Yna trodd y tir yn ddŵr gwyrdd, a theimlai ei hun yn suddo, suddo i ryw ddyfnder na fu ynddo erioed o'r blaen.

Yn y man, fe gariodd rhai o ryfelwyr y Calwsa gorff Madog i'r gwersyll. Yno peintiwyd y rhan uchaf o'i gorff yn goch ac ambr. Yna gwisgwyd o yn ei ddillad ei hun. Gosodwyd y corff ar elor yn barod i'w gario gryn bellter o'r gwersyll. Wrth ei ochor rhoddwyd ei gleddyf, ac un o rwyfau ei long. Ac ychwanegodd Isticáti groes fechan bren, gan ei fod o'n gwybod fod hynny'n un o arwyddion ei Dduw i Madog.

Yna cynullodd y llwyth yn un orymdaith liwgar, gan gario'r elor. Cerddai Sita a'u mab oedd wedi aros yn y gwersyll, a'u dwy ferch a'u plant nhw y tu ôl i'r corff, gan ddilyn Isticáti, y pennaeth. Tra buon nhw'n cerdded o'r gwersyll i lawr trwy'r coed i faes gwastad, curai'r drymiau'n lleddf. Wedi cyrraedd y lle claddu fe welson nhw fod yno dwll wedi ei gloddio'n barod yn y ddaear ar gyfer y corff. Rhoddwyd corff Madog yn hwnnw, yn ei gwman, ar siâp baban yn y groth, a rhoddwyd ei gleddyf, y rhwyf a'r groes yno wrth ei ochor, ynghyd â chostrel o ddŵr a bwyd. Yna rhoddwyd pridd arno, a gorchuddio'r cyfan efo canghennau deiliog o goed a pherlysiau – i gadw anifeiliaid draw. Yna bu siantio a gweddïo ar i'r Ysbryd Mawr ofalu amdano. Ar ôl peth amser aeth pawb yn ôl i'r gwersyll. Ni ynganwyd enw Madog am amser maith ar ôl hyn – rhag ofn i hynny ddwyn atgofion a hiraeth i'w deulu. Roedd Madog yn awr yn un o Hynafiaid y llwyth, yn un o'r rhai a allai siarad ar ran ei bobol â'r Ysbryd Mawr.

Heddiw y mae'r bedd hwn o dan faes parcio un o archfarchnadoedd mawr de Fflorida.

# Ac Wedyn

'Madog,' meddai'r haneswyr, 'stori dda, ond dim byd ynddi hi,' gan ei thorri hi'n gareiau efo ffeithiau, un ar ôl y llall.

'Dim cychwyn o Gymru, dim taith ar y môr mawr, dim olion ohono, dim bedd.'

'Un o'r chwedlau hynny sydd gan y Cymry, cenedl sydd wedi bod yn y baw gyhyd, i geisio'u gwneud eu hunain yn bwysig yng ngolwg y byd.'

'Ta-ta Madog.'

Ond dydi'r ymchwil heb ddarfod. Rai blynyddoedd yn ôl roedd yna hanesydd o Gymro unwaith eto ar drywydd yr hen straeon am Madog, ac wedi bod yn teithio yma ac acw yn America. Un dydd daeth at argae ar afon Missouri ac yno trawodd ar griw bach, bach o bobol. Y rhain oedd gweddillion y Mandan, disgynyddion Madog. Yno yr oedden nhw ar ddarn o dir wâst, mewn dwy hen garafán oedd wedi gweld dyddiau gwell, yn methu fforddio i brynu tai, ac wedi anghofio sut i fyw mewn pebyll. Roedd mochyn neu ddau'n turio o gwmpas yn y gwastraff oedd yn hel yma ac acw. Roedd yno domennydd bychain a oedd yn cynnwys hen deiars; tuniau Coca-Cola gwag; darnau o beiriannau ceir a'r rheini'n gollwng olew du, aflan i'r ddaear; ysgerbydau teledyddion, a darnau o ffrijes a pheiriannau-golchi-dillad. Ar gefnau hen feiciau roedd hanner dwsin o lanciau a genethod yn troi o gwmpas yn y gwynt oer, yn siarad Saesneg America, ac yn gwrthod hyd yn oed gydnabod fod ganddyn nhw enwau Mandan. O un o'r carafanau, lle'r oedd teledydd yn pelydru ac yn llenwi'r lle â hysbysebion Americaneg am nwyddau na allen nhw byth eu fforddio daeth hen ŵr, crychlyd ei wyneb allan.

'Ydych chi'n cofio unrhyw beth am yr hen amser?' gofynnodd yr hanesydd iddo.

Gan dynnu siôl wlân yn dynn amdano, edrychodd ar ei holwr.

'Llawer o bethau, nad oes neb eisio cofio amdanyn nhw bellach,' meddai. Yna ychwanegodd, 'Wyddoch chi fod yna lai na phedwar cant ohonom ni, y Mandan, yn bod erbyn hyn. Mae cylch ein pobol ni wedi ei dorri; a chyn bo hir fydd yna neb ar ôl ohonom ni, a fydd yna neb yn cofio am ein bodolaeth ni.'

'Ydych chi'n cofio am hanes dyn gwyn o dros y môr?' gofynnodd yr hanesydd.

'Yr oedd yna sôn am hynny ers talwm,' meddai'r hen ŵr, 'ond ddim rŵan. Mae'r sôn wedi darfod; wedi mynd i ganlyn y pethau hynny oedd yn ein gwneud ni'n bobol – Dawns yr Haul, a Defod yr Arth, seremonïau a allai ein gwella ni, a'n gwneud ni'n gry.'

'Ydych chi'n cofio'ch hen iaith?'

'Rydw i'n cofio. Fedrwch chi ddim anghofio eich iaith. Ond mi alla i gyfrif ar un llaw y rheini sy'n gallu ei siarad hi efo fi heddiw.'

Cerddodd y ddau – yr hanesydd a'r hen ŵr – i lawr at yr afon fawr. Edrychodd yr hen ŵr dros y dyfroedd ac, ohono'i hun a heb unrhyw berswâd, dyma fo'n dechrau siantio hen weddi yn erfyn ar i'r Ysbryd Mawr helpu ei lwyth. Daeth fflach i'w lygaid am funud, yna trodd i edrych ar y lle roedd o a'i deulu'n byw, a phylodd y llewyrch. 'Fel yma rydym ni rŵan. Dydym ni ddim yn gofyn i'r Ysbryd Mawr am ddim byd bellach.'

Wrth iddo edrych o'i gwmpas, ac wrth iddo glywed geiriau'r hen ŵr, am hanner eiliad yn fan'no fe dybiodd yr hanesydd ei fod o'n gweld rhith ar lan yr afon. Yno safai gŵr ifanc ugain oed, yn dal ac yn gryf, yn felyn ei wallt, yn olau ei groen, mewn dillad oedd yn ganrifoedd o oed.

'Madog!' meddai'r hanesydd. Fel yr oedd o'n dweud yr enw daeth hanes ei wlad ei hun fel llif i'w gof, a meddyliodd fod yna rywfaint o'i brofiad o'i hun yn y rhith wrth yr afon. 'Efallai'n wir,' meddai wrtho'i hun, 'fod yna rywbeth o fy Nghymru i yn bod – neu wedi bod – yn America wedi'r cwbwl.' Ond ni pharhaodd y rhith. Diflannodd. Ac wedyn doedd yna ddim byd ar ôl yno ond gwynt oer yn chwythu hen bapurach o'r tir wâst ar draws dyfroedd tywyll y Missouri.